분노의 히어로

분노의 히어로

발 행 | 2024년 8월 30일
저 자 | 존 큐
펴낸이 | 김종규
펴낸곳 | 제네시스 출판사
출판사등록 | 2014.02.12.(제669-92-00046호)
주 소 | 대구광역시 남구 영선길 70, 아이스벨리 502호
전 화 | 010 2540 1825
이메일 | zenx9@naver.com

ISBN | 9791198825209

분노의 히어로

존 큐 지음

CONTENT

머리말

착한 메시아는 가라! 거친 매력의 메시아와 사도들이 나타났다.
'메시아와 사도들의 환생'이란 소재는 희소성이 있어서 매우 흥미롭지
만, 그만큼 쓰기가 까다롭다. 21세기까지 그 누구도 메시아와 사도들
을 현대로 소환하지 못한 이유다.
그러나 작가는 특유의 집요함으로 그들을 성공적으로 현대화시켰으
며 개연성까지 얻어냈다. 그래서 'HERO OF FURY'란 제목으로 전
자책 영문출판도 동시에 하게 되었다.

작가 소개

혁명가 기질의 아웃사이더인 ENTP, 독창적이고 창의적인 물병자리,
직관적인 왼손잡이 우뇌형 인간.
문득 떠오른 '현대로 환생한 메시아와 사도들'이라는 독특한 소재에
반해서 소설을 쓰기 시작했다. 다년간의 치열한 창작 끝에 독특한 히
어로 소설을 완성한 끈기 있는 소설가다.

제1화 톰과 마크

인도 첸나이의 자동차 공장지대 외곽.

늦은 오후, 포장이 안 된 길을 고급승용차와 대형승합차가 흙먼지를 일으키며 줄지어 달렸다. 차들은 허름한 양철 건물 앞에 급정거했다. 일층 건물 주위에는 억새만 가득하다.

승합차에 잔뜩 구겨져 탔던 우락부락한 사내들이 앞다투어 내렸다. 그들은 저마다 청회색 쇠파이프를 하나씩 쥐고 있다. 그들의 험악한 행색은 누가 봐도 폭력배다. 승합차 조수석에서 눈가에 가늘고 긴 흉터가 있는 남자가 내렸다. 그는 건들거리며 걸어가 줄지어 서 있는 무리 앞에 섰다.

"자 마스크 쓰고! 저번처럼 머리 때려서 바보 만들지 말고! 정정기사 내야 하니까 손가락도 부러뜨리지 말고! 알겠나?"

"네! 과장님!"

그들은 대답과 함께 호주머니에서 검은 마스크를 꺼내 썼다.

"대답 한번 시원하고!"

과장은 기분이 좋아졌는지 웃으며 고급승용차에 다가갔다. 뒷좌석에는 흉악하게 생긴 보스가 시가를 물고 거만하게 앉아있다.

"야! 솔직히 네가 걔들 그렇게 만들었잖아! 너만 조심하면 돼!" 보스는 못마땅한 듯 그를 다그쳤다.

"형! 애들 앞에서 그런 말 하면 내 체면은 뭐가 돼?!" 과장은 보스에게 대들었다. 그렇다. 그들은 형제지간이다.

"야! 너 때문에 그 난리를 치고도 돈도 못 받았잖아! 동생만 아니면 확 자를 텐데! 비켜!" 보스는 생각할수록 열이 받는지 짜증을 냈다. 과장이 옆으로 비켜서자, 보스는 유심히 건물을 살폈다.

건물 입구에 "LOVE & PEACE 인터넷 신문"이라고 쓰인 나무간판이 삐딱하게 걸려있다

"사랑과 평화라~ 신문사 이름이 어째 불륜이 판치는 아침드라마 제목 같은데? 이렇게 가난한 주제에 그 많은 돈을 안 받는 걸 보면 확실히 이상한 놈들이야."

"내가 들어가서 일단 무릎부터 꿇려 놓을게 형. 천천히 들어와!" 과장이 자신에 찬 표정으로 말했다.

"이번에도 실수하면 넌 승합차 운전만 시킬 거야! 알지?"

"알았어! 알았어! 좀!" 과장은 돌아서며 보스의 말에 짜증을 냈다.

"보스 말씀 들었지? 이번에 사고 치는 놈은 저녁 식사도, 일당도 없다. 자! 돌격!"

그의 돌격 신호에 폭력배들은 앞다투어 신문사 입구로 달려갔다. 제일 앞에 뛰어온 사내가 철문을 힘껏 발로 찼지만, 소리만 요란할 뿐 열리지 않았다.

옆에 있던 사내가 손잡이를 옆으로 밀자, 문은 거친 마찰음을 내며 느리게 열렸다. 대문은 밀어서 여는 미닫이였다. 안에서 뜨거운 열기가 훅 뿜어져 나왔다. 그들은 돌도끼를 든 원시인처럼 쇠파이프를 흔들며 뛰어들어갔다.

보스의 잘 다려진 양복 안주머니에서 벨 소리가 났다. 보스는 여유롭게 휴대전화를 꺼내 들었다. 상대방이 나지막한 목소리로 말했다.

"도착했나?"

"네, 상무님."

"무슨 일이 있어도 정정 보도를 꼭 받아내게."

"걱정하지 마십시오. 그리고 수수료는 현금으로 꼭 부탁합니다."

"확실히 마무리 짓고 전화하게."

"바로 전화 드리겠습니다." 보스는 음흉한 웃음을 흘리며 전화를 끊었다.

한편, 신문사 안으로 들어간 폭력배들은 예상보다 넓은 내부에 멈칫

했다. 넓은 실내 중앙에 큰 책상 두 개와 철제 캐비닛 하나만 덩그러니 있다. 그 뒤로는 빛바랜 커튼이 길게 쳐있다. 책상 앞에는 젊은 기자가 이 소란에도 아랑곳없이 노트북 자판을 열심히 두드리고 있다.

"이 동네는 사람이 왔는데 아는 척을 안 해?!" 과장이 어이없다는 듯 소리쳤다.

"잠깐만요. 기사 마무리 좀 하고요. 근데 어떻게 오셨어요?"

기자는 그들을 흘깃 쳐다보고는 무심하게 대답했다. 과장은 그의 외모를 자세히 뜯어봤다. 호리호리한 체구에 이목구비가 뚜렷하니 지적이고 잘생긴 얼굴이다. 그런데 곱슬하고 밝은 갈색의 머리칼을 뒤로 묶은 그의 모습이 좀 특이했다. 그래도 과장은 그를 몇 대 쥐어박으면 말 잘 들으리라고 생각했다. 그때 사내 중 하나가 옆에 있는 대형거울을 쇠파이프로 깼다.

"아이! 깜짝이야! 지금 대화 중인 거 안 보여?" 화들짝 놀란 과장이 고함쳤다. 그는 CCTV가 없는 것을 확인하고 마스크를 턱 아래로 내리며 말했다.

"기자 양반, 이름이 뭐야?"

"톰!"

"어이 톰! 정정기사 하나 써야 할 것 같은데?"

"아하! 그래서 단체로 오셨구나. 어디서 오셨을까?" 톰은 전혀 기죽지 않고 되물었다.

"제법 똑똑해 보이는데 한 번 알아 맞춰봐!" 과장은 거만하게 웃었다.

"고아들 시켜서 관광객에게 마약을 판 앵벌이 조직?"

"놉!"

"가정부 성추행한 회장님?"

"아니."

"그럼, 중금속 폐수 방류해 물고기 떼죽음시킨 자동차 회사?"

"오~ 네가 벌여놓은 일이 많구나!"

"야생 원숭이들 잡아서 불법 생체 실험한 제약회사?"

"빙고!"

"우리가 뇌물을 안 받는다니까 상무님이 아저씨들을 보냈구나."

"자 결정해! 죽도록 맞고 쓸래? 안 맞고 좋게 쓸래?" 과장의 말에 톰의 표정이 싸늘하게 변했다.

"이거 정당방위인 거 알지? 이것들이 감히 쇠파이프와 쪽수만 믿고 쳐들어와 협박해?!" 톰은 노트북을 덮고 일어나 흰 와이셔츠의 단추를 풀었다. 과장은 샌님 같은 톰의 돌발 행동을 지켜보며 가소롭게 웃었다. 톰은 와이셔츠를 벗어 의자 등받이에 걸쳤다. 과장이 보기에 내의 사이로 보이는 톰의 상반신은 잘 단련되어 있었지만, 그다지 위협적이지 않았다. 톰은 실내를 가로지르는 푸른색 커튼을 걷어냈다.

커튼을 걷자, 격투기 체육관 같은 더 큰 공간이 드러났다. 귀퉁이에는 검정 샌드백이 걸려있고, 다른 쪽에는 각종 호신 장비와 글러브, 덤벨, 역기가 줄지어 진열되어 있다. 그리고 중앙에는 2m 키에 등 근육이 잔뜩 화가 난 사내가 무거운 덤벨을 들고 그들을 돌아봤다.

그의 귀에는 콩나물 대가리 같은 블루투스 이어폰이 꽂혀있다. 빨간 반바지만 입은 사내의 상반신은 마치 돌덩이를 붙여놓은 양 단단해 보이고, 얼굴은 절 입구에 있는 사천왕처럼 우락부락하다. 돌출된 큰 눈과 대조되는 작은 눈동자에서 뿜어나오는 안광은 마치 레이저 같다.

"마크! 손님 오셨다!"

"얘들 뭐야?" 마크는 귀에서 이어폰을 꺼내며 걸어 나왔다.

"제약회사에서 보냈단다."

"쇠파이프는 왜 들고 있어?" 마크가 인상을 쓰자, 사내중 한 명이 쇠파이프를 슬그머니 뒤로 숨겼다.

"우리도 뭐 하나 들어야겠는데?" 톰이 목검을 집어 마크에게 던지고 자신은 쌍절곤을 집었다. 사내들은 긴장한 채 과장의 눈치를 봤다.

"다시 한번 기회를 줄게. 그거 내려놓고 순순히 기사나 정정해. 제발! 나 또 사람 병신 만들어서 우리 보스에게 욕먹고 싶지 않아!" 과장이 차오르는 짜증을 참으며 최대한 조곤조곤 말했다.

"우리도 한 번 기회를 줄게. 조용히 여기서 철수하면, 없었던 일로 해줄게. 안 그러면 너희 고자가 돼서 나가게 될 거야." 마크가 말끝에 무언가 손으로 꽉 쥐는 시늉을 했다. 겁먹은 사내 하나가 쇠파이프를 떨어뜨리자, 동료들이 화들짝 놀랐다.

"겁먹지 마! 수적으로 우리가 우위야. 얘들아! 매운맛 좀 보여줘라!" 과장의 말에 폭력배들은 쇠파이프를 들고 슬금슬금 그들에게 다가섰다.

"분명히 경고했다!" 톰은 앞구르기를 한 후 옆으로 누운 채로 사내들의 정강이뼈를 쌍절곤으로 마구 후려갈겼다. 기습을 당한 그들은 정강이뼈를 붙잡고 비명을 질러댔다. 마크는 목검으로 다가서는 사내들의 손목을 힘껏 쳤다. 사내들이 순식간에 역습을 당하자, 과장은 뒷주머니에서 접이식 칼을 꺼내 들었다.

과장은 능숙하게 칼을 휘저으며 마크를 위협했다. 그때 톰이 일어서며 쌍절곤의 회전을 이용해 과장의 칼을 위로 튕겨내고, 역회전으로 과장의 이마를 힘껏 내려쳤다. 과장은 눈동자가 풀리며 비틀거렸다. 그때 마크가 과장 뒤로 다가섰다. 마크가 정신이 혼미한 과장의 목을 목검으로 조르며 소리쳤다. "모두 꼼짝 마! 움직이면 네 친구 목뼈 부러진다!"

하지만, 흩어졌던 깡패들이 점점 더 다가서자, 톰이 화난 목소리로 소리쳤다.

"너희는 동지애도 없구나!"

엉뚱한 부분에서 분노한 톰은 쌍절곤을 휘두르며 그들 사이로 뛰어들었다. 마크도 과장의 목을 당수로 쳐 기절시키고, 덤비는 사내들에게 목검을 휘둘렀다. 그때, 상대의 쇠파이프와 부딪힌 마크의 목검이 두 동강 났다. 마크는 동강 난 목검을 던져 앞 사내의 이마를 맞추고, 다음 사내의 뺨을 큰 손바닥으로 후려쳤다. 뺨을 맞은 사내는 한 바퀴 돌아서 뿌리뽑힌 나무처럼 픽 쓰러졌다.

건물 안의 쿵쾅거리는 소리가 잠잠해지자, 깡마른 운전사가 사장에게 말했다.

"보스, 상황이 정리된 것 같습니다."

"고작 두 명 잡는데, 시간이 너무 걸리는 거 아니냐?" 사장은 시큰 둥하게 차에서 내렸다. 그는 당당하게 문 안으로 들어서다가 깜짝 놀 랐다. 부하들이 하나같이 바닥에 쓰러져있고, 기자들은 너무 멀쩡했기 때문이다.

"뭐야? 네놈들이 그런 거야?" 사장은 어이없어하며 물었다.

"이제야 보스님이 나타나셨구나!" 톰이 그를 알아보고 반겼다.

"이봐! 내가 돈 좀 올려 받아줄게. 서로 좋게좋게 끝내자고." 사장의 값싼 흥정에, 톰이 피식 웃었다.

"좋게 말할 때 정정기사 써! 안 그럼 다음엔 총 들고 올 거야!" 사 장은 자존심이 상한 듯 큰소리로 협박했다.

"오늘 방문한 거 노트북에 다 촬영되었으니, 우리가 죽는다면 너희들 이 가장 먼저 조사대상이 될 거야."

"네놈들이 이러고도 무사할 줄 알아?" 사장은 손에 든 시가를 바닥 에 내팽개치며 불같이 화를 냈다. 마크가 험악한 인상으로 한 걸음 다 가서자, 그는 슬금슬금 뒷걸음을 쳤다.

"여기서 자고 갈 거야?!" 사장은 쓰러져있는 부하들에게 화풀이했다. 그들은 어기적거리며 겨우 일어나 절뚝거리며 사장의 뒤를 따랐다.

마크는 긴장이 풀리자 의자에 털썩 주저앉았다. 마크는 땀 닦는 손을 유난히 떨었다.

"우리 스포츠나 연애뉴스로 주제를 확장해보면 어떨까? 우리가 '첸 나이 투데이'다닐 때 인맥 좀 쌓았잖아." 마크가 넌지시 말을 꺼냈다.

"힘들지?" 톰은 담담하게 되물었다.

"오늘도 너 혼자였으면 정말 위험했어. 그리고 요즘 네 모습을 되돌아봐!" 마크는 화가 치미는지 언성을 높였다.

"왜?"

"너 웃은 적이 언제인지 기억이 나? 너 지금 많이 망가졌어!"

"무슨 말인지 알겠어. 하지만 우리가 아니면 스스로 목소리를 낼 수 없는 그들을 누가 대변하겠어?" 톰은 쓸쓸한 표정으로 마크에게 되물었다.

"아니, 다른 주제들도 다루면서 광고도 좀 받고 유연하게 대처해나가 자는 거지. 신문사 규모를 좀 키운 다음에 네가 원하는 방향을 다시 해도 되잖아." 마크는 화를 누그러뜨리며 회유를 했다.

"생각해 볼게."

"진지하게 고려해봐. 쟤들이 정말 총 들고 나타나면 어쩔 거야! 우리가 살아있어야 미래를 도모하지. 안 그래?"

"그래, 고민해보자. 오늘은 일찍 들어갈게. "

"오늘도 성 토마스 언덕에 가는 거야?"

"기사는 내가 집에 가서 올릴 테니까 걱정하지 말고."

"교회에 가서 우리가 총 맞지 않게 기도해줘." 마크가 짐짓 겁먹은 표정으로 부탁했다.

"그래. 힘들어도 내 옆에 있어 줘서 고마워." 톰이 미안한 듯 마크의 어깨를 툭 치고 나갔다. 마크는 한숨을 쉬며 의자에 기대앉았다.

그는 눈을 감고 자신이 어디서부터 이렇게 인생이 꼬였는지 더듬어봤다. 그건 구 년 전 톰을 만나고부터다. 마크는 인도 전통 무술가 집안에서 태어났다. 그는 어려서부터 아버지가 운영하는 도장에서 꾸준히 무술을 연마했고 우월한 신체조건으로 더 주목을 받았다. 초등학교 때 꿈은 천하를 제패하는 무술가였고, 중학교 때는 정의구현에 앞장서는 경찰관이었다. 그리고 진로를 진지하게 고민하는 시기인 고등학생이 되어서는 펜으로도 정의를 구현할 수 있다는 사실을 알고 기자를 꿈꾸었다.

물론 '슈퍼맨'의 '클라크 켄트'가 '데일리 플래닛'의 신문기자이고, '스파이더맨'의 '피터 파커'가 '데일리 뷰글'의 신문기자인 사실과 무관하지 않다. 마크는 히어로 만화와 영화를 유난히 좋아했고, 거친 외모 때문에 '판타스틱4'의 돌덩어리 캐릭터 '씽'에 묘한 동질감을 느꼈다.

그는 남중, 남고를 나왔기에 이성과 만남이 거의 없었다. 그래서 연애에 대한 환상과 열정이 남달랐다. 또 그는 신문 방송과에 가면 슈퍼맨의 연인 '로이스 레인' 같은 운명적인 사랑을 만날 거란 근거 없는 희망을 품고 있었다.

결국, 마크는 잠까지 설쳐가며 열심히 공부해 첸나이 대학 신문 방송과에 입학했다. 입학식 때 그는 같은 과 여학생들의 지적이고 아름다운 모습을 보고 캠퍼스 로맨스가 시작된 기분에 사로잡혔다.

하지만, 현실은 잔인했다. 마크의 위압적인 외모에 과 여학생들은 가까이 오지 않았고, 남학생과도 친해지지 못하자 깊은 자괴감에 빠졌다.

그는 칠판을 가리는 큰 덩치 탓에 스스로 강의실 제일 뒷줄에 앉았다. 그런 이유로 강의실 안에서 일어나는 일들을 빠짐없이 볼 수 있었다.

언젠가부터 마크의 눈에 자주 들어오는 남학생이 있었다. 톰 아니쉬크(Tom Anishk). 그는 모델이라고 해도 믿을 만큼 지적이고 훈훈한 외모를 지녔다.

특히 곱슬하고 윤기 있는 그 녀석의 단발머리는 멀리서도 알아볼 수 있었다. 톰은 항상 누구보다 일찍 와서 강의실 창가 자리에 앉았다. 특히 신문론 강의실 자리에서는 잘 가꿔진 학내 공원과 분수가 잘 보인다. 그 녀석은 수업 중 가끔 슬픈 표정으로 밖을 쳐다봤다. 한눈을 파는 톰을 못마땅하게 생각한 교수들은 그에게 돌발 질문을 던졌다. 그러나 톰은 매번 철저하게 예습을 한 사람처럼 멋진 답변을 해 교수는 물론 학생들까지 경탄하게 했다. 마크는 톰이 지능적인 관심종자가 아닐까 하고 의심했다. 일부러 특이한 행동을 해서 관심받는 걸 즐기는 부류 말이다.

어느 날, 같은 과 여학생들의 대화를 통해 그 녀석이 전액 장학생이며, 코치(Kochi)에서 왔다는 사실을 알았다. 코치는 사도 토마스가 처음 인도에 도착한 곳이며, 예술의 도시이자 휴양지로도 유명하다. 코치는 큰 인도 대륙에서 첸나이와 정 반대쪽에 있는 항구도시다.

학기가 지날수록 톰의 옆자리를 두고 여학생들의 눈치싸움이 치열했다. 그녀들은 그에게 음료수를 건네기도 하고, 그의 책갈피에 쪽지를 몰래 넣기도 했다. 어떤 여학생은 내놓고 공연 관람권으로 그 녀석을 유혹하기도 했다. 언젠가부터 마크는 톰을 질투하고 있었다. 잘 생긴 주제에 사연 있는 듯 묘한 분위기까지 풍기니 모성애가 탑재된 여학생들이 그냥 지나치겠는가? 그러나 톰은 정중하고 기품 있게 그녀들을 밀쳐냈다. 그런 그의 태도마저도 여학생 사이에서 더 주가가 올라가는 기이한 현상으로 나타났다. 마크의 눈에 톰은 어장관리까지 할 줄 아는 영악한 놈으로 보였다.

그러던 어느 날 마크는 톰의 다른 면모를 보게 됐다. 마크는 시내 문구점에 들렀다가 영화관 뒷골목을 지나게 됐다. 뒷골목에서는 여러 명이 싸우고 있었다. 삼대 일의 결투. 세 명은 독하기로 유명한 이 동네 앵벌이 조직이었고, 그들을 상대하는 사내는 놀랍게도 톰이었다.

"헐! 이것 봐라?!" 마크는 톰의 색다른 모습이 자못 흥미로웠다.

톰은 벽을 등지고 그들과 싸우고 있었다. 톰은 가드를 올리고 쏟아지는 주먹들을 요리조리 피하고 있었다. 이윽고 그는 한 명의 발등을 힘껏 밟아 주의를 돌린 뒤, 상대 턱에 정확하게 주먹을 꽂았다. 뒤이어 다가온 상대에게 그는 목을 잡고 무릎 공격을 명치에 넣었다. 마지막 상대가 겁을 먹고 주춤하며 거리를 두자, 톰은 이단 옆차기로 그의 가슴을 걷어찼다.

"제법인데?" 어느새 마크는 격투경기를 관람하는 관중이 되었다.

그때 한 녀석이 뒷주머니에서 접이식 칼을 꺼내 들었다. 그러자, 다른 녀석들도 일제히 칼을 꺼내 들었다.

"그건 반칙이지!"

마크는 백 팩에서 30센티 플라스틱 자를 꺼내 들었다. 마크가 골목을 가득 채우며 그들에게 다가갔다. 갑자기 나타난 마크의 어마 무시한 덩치를 본 녀석들은 순간 얼어붙었다.

그러나, 눈에 유난히 독기가 있는 놈이 먼저 칼을 휘두르며 달려들었다. 마크는 자의 탄성을 이용하여 상대의 손가락을 쳐 칼을 떨어뜨린 후, 뺨을 후려쳤다. 녀석은 비명을 지르며 뒤로 물러났는데, 자로 맞은 뺨에 선명하게 붉은 자국이 생겼다.

톰도 칼을 든 상대와 대치 중이다. 녀석이 톰을 향해 칼을 찔렀고, 그는 앞차기로 칼 든 손을 차고, 연이어 뒤돌려차기로 상대의 배를 찼다. 칼은 회전하며 공중으로 올라가고, 상대방은 쓰레기통 위로 넘어졌다. 톰이 낙하하는 칼을 낚아채서 들자, 그들은 톰과 마크의 눈치를 봤다.

"이리 와!" 마크의 고함에 녀석들은 또 보자는 약속의 말을 남기고 도망쳤다.

"괜찮아? 무슨 일로 쟤들과 엮인 거야?" 마크가 톰에게 다가서며 말했다.

"꼬마들을 때리고 있길래 모른 척할 수 없었어. 혼자서도 가능했지만 어쨌든 고마워." 톰은 옷에 먼지를 털며 대수롭지 않게 말했다. 그는 마치 제 목숨이 위험했다는 걸 전혀 모르는 것처럼 태연하다. 마크는 톰이 원래 겁이 없거나, 싸움에 진 적이 없는 것으로 생각했다. 어쨌든 그는 톰의 태도가 몹시 마음에 들지 않았다.

"네가 잘 모르는 모양인데, 여기 앵벌이들은 무서운 애들이야! 함부로 덤비지 마!" 마크는 그에게 사태의 심각성을 알려주고 싶었다.

"근데 너 우리 과지?"

"맞아." 마크는 열을 내다가, 톰이 그를 기억한다는 사실이 은근 기뻤다.

"너 아까 보니 플라스틱 자를 칼처럼 쓰더라?"

"응, 어려서부터 무술을 배워서 도검류와 창과 봉, 쌍절곤까지 조금씩 할 줄 알아." 마크는 조곤조곤 자기 자랑을 했다.

"그래? 나도 좀 배울 수 있을까?" 톰의 갑작스러운 부탁이 마크는 싫지 않았다. 얼마까지만 해도 상당히 얄미웠던 놈인데. 그래도 조건은 붙이고 싶었다.

"네가 날 좀 도와주면 생각해 볼게."

"내가 뭘 도와줘야 하니?" 톰은 호기심 가득한 눈으로 물었다.

"그게 말이야. 내가 아버지랑 똑같이 생겼는데, 아버지는 여자 앞에서 말을 잘못해서 마흔에 겨우 결혼했어. 근데 난 아름다운 여성과 열정적인 연애도 하고 싶고, 결혼도 일찍 하고 싶어." 마크는 매우 진지하게 말을 이어갔다.

"그래서 결론이 뭐야?" 톰이 답답한지 마크의 말을 끊었다.

"내가 여학생과 대화를 할 기회를 많이 만들어줘." 마크는 옆 머리를 긁적이며 대답했다.

"그게 다야?" 톰은 어이없다는 듯 피식 웃었다.

"응!" 마크는 톰의 웃음에 모멸감이 살짝 올라왔지만 참았다.

"좋아. 그렇게 하자." 톰이 흔쾌히 승낙했다. 마크는 감격해서 눈물이 날 것 같았지만, 이를 물고 꾹 참았다.

"방송부 동아리 추가 모집이 있다고 누가 얘기하던데, 우리 그곳에 가입해 볼까?"

"나쁘지 않지. 그런데 학내 게시판에서 그런 내용은 못 본 것 같은데?"

"졸업반 선배들이 갑자기 빠져서 부원을 더 뽑을 예정이라고 방송부 친구가 내게 말해줬어."

"혹시 그 방송부 친구가 여학생이야?"

"응. 왜?" 톰의 해맑은 대답에 마크는 부러움과 질투를 동시에 느꼈다.

"으음. 나도 가능할까?" 마크는 괜히 주눅이 들어 망설였다.

"내가 알기에는 방송 장비들이 구식이라서 꽤 무거운 게 많대. 너도 알잖아. 방송 장비 무겁기로 유명한 거. 넌 그곳에 꼭 필요한 인물이 될 수 있어." 톰은 마크의 어깨를 툭 치며 희망을 줬다.

다음 날, 톰과 마크는 수업 후 방송부로 찾아갔다.

방송부원들은 톰은 잘 아는 듯 반기는 분위기였으나, 마크는 조금 꺼리는 눈치였다. 톰은 고등학교 때 방송부여서 원고 쓰기와 촬영과 편집도 가능하다고 했고, 마크는 방송 장비를 옮기고 설치하는 일에 자신 있다고 말했다. 방송부원들은 의논을 통해 두 달의 수습 기간을 거쳐 그들의 정식부원 유무를 결정하기로 했다.

그날 이후 톰과 마크는 방송부 선배의 가르침 아래 방송 장비를 다루는 법과 올바른 보관 방법 등을 배웠다. 톰과 마크는 방송 장비를 보관하는 창고부터 대청소를 시작했고, 수납이 편리하게 선반도 직접 제작했다. 그들이 열의를 가지고 일하자, 방송부원들의 시선이 호의적으로 변해갔다.

가끔 야외촬영을 나갈 때면 마크는 크게 진가를 발휘했다. 크레인과 같은 구조물에 카메라를 설치해 촬영하는 지미집은 그 무게가 어마어마하게 무거웠다. 그 무거운 지미집의 이동, 설치까지 마크가 전담하게 되었다. 톰도 방송 원고도 곧잘 쓰고 인터뷰, 편집에도 두각을 드러내며 필요한 인재임을 증명했다.

또, 그들은 틈틈이 마크 아버지 도장에서 함께 무술 연습을 했다. 마크는 톰에게 검의 사용법을 먼저 가르쳤다. 톰은 처음에는 자세가 어색했으나 스펀지가 물을 흡수하듯 빠르게 성장했다. 톰은 봉, 쌍절곤, 창, 칼 등의 무기를 하나하나 배워 나갔다 마크는 톰의 기량이 빠르게 향상되는 걸 지켜보며 자신이 성장할 때와 또 다른 뿌듯함을 느꼈다. 마크는 톰과 스파링을 하며 그의 동물적 감각과 변칙적인 움직임에 매번 놀랐다. 그는 톰이 틀에 매이지 않는 실전형 싸움꾼임을 새삼 느꼈다.

두 달 뒤 톰과 마크는 당당하게 정식부원이 되었다. 육 개월 뒤, 시골에서 촬영 중 선배 '클라라(Clara)'가 뒷걸음치다 발을 헛디뎌 심하게 다쳤다. 그 자리에 있던 마크가 그녀를 업고 먼 거리의 의원까지 달려갔다. 이 일로 마크와 클라라는 자연스럽게 가까워지는 계기가 되었다. 클라라는 아나운서를 꿈꾸는 야망 있고 카리스마 넘치는 3학년 선배였다.

그녀는 외모와 달리 섬세하고 따뜻한 마크에게 마음을 열었고, 그렇게 그들은 유명한 캠퍼스 커플이 되었다. 마크와 그녀는 도서관에서 마주 앉아 공부도 하고, 주말에는 극장에 가서 팝콘을 같이 먹으며 로맨스 영화도 봤다. 마크는 클라라와 있을 때, 여러 가지 주제로 자주 대화를 나눴지만, 특히 톰 얘기를 유난히 많이 했다. 그는 톰과 친해진 이야기, 톰의 남다른 환경 사랑, 독특한 가치관, 무술 실력 등을 침 튀겨가며 신나게 늘어놓았다. 클라라도 초반에는 톰 얘기를 흥미롭게 들어줬지만, 언젠가부터 자신보다 온통 톰 생각만 하는 마크가 조금씩 섭섭해졌다.

화창한 어느 날, 클라라는 마크에게 갑자기 이별을 통고했다. 마침 방송부실에는 그들 둘뿐이었다. 마크가 당황해서 그 이유를 물었다. 그녀는 마크가 아직 사랑보다는 친구가 좋은 애송이라서 흥미가 떨어졌다고 했다.

마크는 무릎까지 꿇고 그녀에게 애원했다. 하지만, 클라라의 마음은 이미 떠난 뒤였다. 그때 갑자기 문이 열리고 방송부원들이 한꺼번에 들어왔다. 클라라는 어색한 자리를 뜨려고 일어났다. 마크도 같이 일어나려다가 비명을 지르며 쓰러졌다. 오랫동안 무릎을 꿇고 있어서 생긴 다리 저림 때문이다. 험악하게 생긴 남자애가 쥐가 나 버둥거리는 희귀한 모습을 본 누군가가 휴대전화로 동영상 촬영을 했다. 그 동영상은 여러 사람이 돌려보다가 결국 학내 게시판에도 올라가 엄청난 조회 수를 기록했다. 그 일로 얼마 지나지 않아 마크는 방송부를 탈퇴했고, 톰은 마크의 분노 가득한 특훈과 스파링에 시달려야 했다.

어느덧 마크와 톰은 둘도 없는 절친이 되었다. 톰은 기차여행 중에 마크에게 그의 불행한 가정사를 말했다. 톰은 그 때문에 고향인 코치를 떠나 머나먼 첸나이까지 유학을 온 것이었다. 마크는 톰이 가끔 넋나간 모습으로 앉아있던 이유를 뒤늦게 알고 오해하고 시기했던 걸 사과했다.

졸업 무렵 그들은 '첸나이 투데이' 신문사에 같이 입사원서를 냈고, 톰과 마크는 높은 경쟁률을 뚫고 가까스로 합격했다. 톰은 사회부 수습으로 들어갔고, 마크는 스포츠, 연애 부의 사진기자로 첫 사회생활을 시작했다.

톰은 정의감이 남다른 베테랑 기자 '앤서니(Anthony)'의 보조로 바쁘게 현장을 뛰어다녔다. 톰은 성실함과 뛰어난 현장대처 능력으로 선배의 신임을 얻었다. 그들은 환상적인 콤비였다.

그러던 어느 날, 불법대부업체를 취재하러 홀로 나갔던 앤서니가 다음날 바다에서 익사한 채 발견되는 사건이 생겼다. 앤서니의 뒤통수에 큰 상처가 있었지만, 경찰에서는 그의 사인을 음주로 말미암은 실족사로 결론을 내고 수사를 종결지었다. 톰은 경찰에게 불법대부업체가 연관성이 있음을 주장했지만, 그의 의견은 무시되었다.

그래서 톰은 앤서니의 명예를 되찾기 위해 범인을 찾으려고 결심했다. 톰은 밤낮으로 틈틈이 불법대부업체들을 수소문하고 다녔다. 한 달 뒤, 톰에게 앤서니와 관련된 업체를 알고 있다는 사람으로부터 전화가 왔다. 톰은 퇴근 후 도시 외곽에 있는 약속장소로 찾아갔으나 괴한들로부터 습격을 당했다. 신고 전화를 받고 출동한 경찰들은 창고 속에서 피투성이가 된 톰을 발견했다. 그리고 그 주위에 쓰러져있는 다섯 명의 남자들도 발견했다. 톰이 그들을 홀로 해치우고 직접 전화를 한 것이다.

경찰 조사를 따르면 그들이 속한 불법 대부업체 보스가 앤서니의 밀착취재에 압박을 느껴 부하들을 시켜 살해한 후 유기했다고 했다.

톰은 앤서니의 살해 범인들을 찾았지만, 두 달 동안 병원 신세를 져야 했다. 그는 퇴원 후 다시 신문사로 돌아왔다. 편집장은 톰의 건강을 배려해서 편집부 내근직으로 재배치했다. 톰은 언제나처럼 맡은 일에 집중하며 잘 적응해나갔다. 그러나 시간이 지나자 온종일 앉아서 원고와 씨름하는 일에 점점 지쳐갔다. 톰은 사회부로 돌아가고 싶어서 편집장에게 상담을 신청했다. 하지만 편집장은 사회부의 인원이 다 차서 어렵다며 그를 달랬다.

톰은 얼마 지나지 않아 마크와도 아무런 상의도 없이 사직서를 제출했다. 마크가 뒤늦게 그 사실을 알고 톰에게 연락했다. 그러나 톰은 혼자 여행 중이라고 했다.

한 달 뒤 돌아온 톰은 초췌했다. 마크는 톰이 무슨 말을 하려다가 주저하는 모습을 보았지만 캐묻지 않았다.

그 뒤, 마크는 톰이 며칠간 전화를 받지 않자 점점 불안했다. 마크는 점심시간 때 톰의 원룸으로 찾아갔다. 톰의 원룸 앞에 며칠 동안 쌓인 전단이 수북했다. 마크가 벨을 여러 번 눌렀지만 아무런 기척이 없자, 마크는 문을 세게 두들겼다. 마크는 마지막 만났을 때 뭔가 말을 하려다가 말았던 톰의 어두운 표정이 갑자기 떠올랐다. 불안해진 마크는 원룸의 문고리를 거칠게 쥐고 돌리기를 반복했다.

그때 부스스한 모습의 톰이 동그란 눈을 뜨고 문을 벌컥 열었다.

"이 시간에 무슨 일이야?"

마크는 톰의 안색을 살피며 다그쳤다. "왜 이렇게 연락이 안 받아?"

"아! 휴대전화 요금이 연체돼서 끊겼어."

"술, 담배도 안 하는 네가 왜 돈이 떨어져? 가상화폐에 투자라도 했냐?"

"수술비와 입원비가 생각보다 많이 나왔어." 톰이 작은 목소리로 말했다.

"내가 물었을 때는 신문사에서 도와줘서 잘 해결되었다더니, 네 돈도 꽤 들어갔구나. 그러면 말을 하지!"

"전에 만났을 때 말하려고 했는데, 차마 입이 떨어지지 않더라. 들어와."

마크는 톰을 따라 토끼굴같이 작은 원룸 안으로 들어갔다. 원룸 안에는 침대 하나, 책걸상 하나, 냉장고 하나가 살림살이 전부다.

톰은 작은 냉장고에서 찬물이 담긴 병을 꺼내왔다. 마크는 병째로 물을 벌컥벌컥 마셨다. 톰은 마크가 물을 다 마실 동안 멀뚱멀뚱 쳐다봤다.

"나 조직 생활이 맞지 않나 봐. 노력해봤는데 좀 힘드네." 톰이 시무룩하게 말했다.

"영 힘들면 나랑 신문사 하나 차리면 어때?" 마크는 위로하고픈 마음에 농담으로 말했다. 그러자 톰이 마크의 손을 덥석 잡으며 다가앉았다. 마크는 자신이 말해놓고도 '아차' 싶었다.

"나도 그 생각했어. 마크! 우리가 제보를 받은 후 밀착취재를 하면 꽤 좋은 기사가 나올 거야. 신문사 이름도 생각해 놨어. 이 세상에는 사랑과 평화가 필요해. 그래서." 톰이 신나서 떠드는 동안, 마크는 금방 마신 물이 식은땀이 되어 이마에서 흐르는 걸 느꼈다.

개간 삼 년째인 현재, 물불 안 가리는 톰의 취재방식 탓에 마크는 점점 더 신변의 위협을 느끼고 있다. 마크는 근육질의 두 팔로 자신의 머리를 감싸며 중얼거렸다.

"아~ 내가 스스로 무덤을 팠구나! 내가!"

제2화 대천사 가브리엘

석양 무렵 톰은 빨간색 자전거를 타고 '성 토마스 언덕' 주차장에 나타났다. 그의 그래블 자전거는 차체는 로드 자전거이지만, 바퀴는 산악용 자전거처럼 두꺼워서 웬만한 자갈길은 쉽게 갈 수 있다. 톰은 자전거에 거치된 작은 통에서 자물쇠를 꺼내 바퀴와 쇠기둥을 함께 묶었다. 그는 주홍색 불꽃이 그려진 헬멧을 벗었다. 톰의 머리 위로 크고 흰 몸통의 비행기가 낮게 지나갔다. 가까운 곳에 있는 '안나(Anna) 국제공항'에서 이륙한 여객기다.

이 야트막한 동산은 사도 토마스가 이천 년 전에 처형된 곳이다. 사도 토마스는 예수의 열두 제자 중 의심 많은 사도로 유명하다.

인도의 고대문서에 따르면 사도 토마스는 서기 54년에 배를 타고 케랄라 주 코치에 도착했다. 이후 그는 25년간 남인도 전 지역을 다니며 진리전파와 빈민구제에 힘쓰다가, 서기 78년에 이곳 첸나이에서 순교했다. 사도 토마스는 어느 사도보다 먼 곳에서 활동했으며, 그의 죽은 사연도 매우 독특하다.

그는 첸나이 지역을 다스리던 왕의 남다른 총애를 받았다. 그리고 그 당시 유행하던 시리아풍의 궁전을 짓는 공사 책임자가 되었다. 그러나 건설 경비 중 일부를 강제동원된 백성에게 식량을 사서 나눠주다가 발각되었다. 사도 토마스의 죄는 크지 않았지만, 크게 노한 왕은 그를 참수형에 처했다. 그리고 이천 년이 지난 현재, 남인도에만 기독교인이 집중되어있으며, 그 수가 칠천만 명이 넘는다.

톰은 헬멧을 들고 천천히 계단을 걸어 올라갔다. 그가 정상에 오르자, 작고 소박한 교회가 그의 앞에 나타났다.

교회 문 위에는 'my lord and my god(주님, 나의 주님)'라고 쓴 나무간판이 걸려있다. 이 문구는 예수 부활을 의심하던 토마스가 예수의 상처를 직접 만져보고 놀라며 했던 말이다. 이에 예수는 '보고 믿는 자보다, 보지 않고 믿는 자가 더 복되다'라고 말했다.

현대인인 톰이 봤을 때는 사도 토마스의 의심은 매우 합리적이다. 성 토마스는 예수의 죽음을 직접 목격했기에, 부활한 그를 믿는 게 얼마나 힘들었겠는가? 그는 이전 직장인 '첸나이 투데이'에 일할 때, '재평가가 필요한 사도 토마스'란 제목으로 시리즈 칼럼을 썼었다.

톰은 아무도 없는 교회를 걸어 들어갔다. 그는 기독교 성자 사진이 줄지어 걸린 하얀 복도를 지나쳤다. 실내는 톰의 옷자락 소리까지 들릴 정도로 적막했다. 그는 단상 앞 의자에 조심스럽게 앉았다.

"주님, 아직도 이 세상에는 악이 너무 많습니다. 제게 악에 맞설 수 있는 지혜와 힘을 주소서!"

톰의 옛 조상 '나빈(Navin)'은 사도 토마스가 코치에 도착했을 때 통역을 하다가 제자가 되었다. 톰은 집안 대대로 이어오는 '시리아 가톨릭'의 명상법을 수행해왔다. 그는 '시리아 가톨릭'의 맥을 잇는 계승자다. 사도 토마스의 가르침을 따르는 종파를 '시리아 가톨릭'이라고 부른다. 그 이유는 사도 토마스가 인도에 정착하기 전 시리아에서 오래 활동했었기 때문이다.

톰은 짧은 기도를 마치고, 편안하게 앉았다. 그리고 내면에 집중하려고 노력했다. 그는 무의식중에 과거의 기억이 떠올랐다.

톰이 다섯 살 때, 할아버지 할머니 손을 잡고, 부모가 운영하는 수영용품 대여 가게에 갔었다. 그때 톰은 해변에서 끝없이 펼쳐진 푸른 바다를 처음 보고 놀라서 소리를 질렀었다. 그는 그전의 기억을 조금도 기억하지 못한다. 그래서 언젠가 할아버지에게 자신의 어린 시절을 물어보았다.

풍성한 수염이 멋있는 할아버지는 톰이 아기 때 있었던 일을 처음으로 이야기했다. 할아버지는 평소보다 조심스러운 목소리로 이렇게 말했다.

"톰, 너의 유아기는 남달랐단다. 생후 이주 즈음에 옹알이를 시작하더니, 한 달 뒤 말을 알아들었고, 삼 개월 뒤에는 마치 열 살 아이처럼 말했지. 그런데 기저귀를 찬 아기가 진지한 표정으로 전생의 기억을 쏟아내자, 우리 가족은 여러모로 많이 놀랐지. 특히 역사적으로 유명한 인물이 자신이라고 말하자, 우리는 큰 충격을 받았어. 또 너는 전생의 가족, 친구, 기뻤던 일, 슬펐던 일, 죽음의 원인까지 세세하게 말했었다. 그때 우리는 처음 겪는 일이라서 많이 당황했지."

"그래서 충격을 받은 가족들은 가족회의를 여러 번 했었다. 너의 아버지가 인터넷검색으로 학계에 비슷한 사례를 찾았다. 사례에 따르면 전생을 기억하는 어린이 상당수가 열 살이 되기 전 전생 기억이 거의 사라졌다고 했다. 그래서 그 말에 희망을 걸고 너를 지켜보기로 했단다. 다행스럽게도 네가 다섯 살이 되자, 깨끗하게 전생의 기억을 잃었다. 그렇다고 네가 평범하게 변한 건 아니었어. 상대방이 거짓말을 하는 걸 귀신같이 알아차렸지. 또, 동물의 언어를 알아듣는 거 같았어."

톰은 초등학교에 들어가서 여러 방면에서 뛰어난 재능을 보였다. 공부는 물론 시도 잘 쓰고, 동요도 직접 만들고, 그림 실력도 남달랐다. 축구를 할 때는 왼발을 오른발만큼 잘 사용했고, 오른손은 피아노를 치며 왼손으로는 노트필기가 가능했다.

톰은 열 살쯤 이상한 꿈을 꾸었다. 마치 성화에 나오는 예수 그리스도처럼 생긴 장발의 남자가 나타나 곧 그의 부모가 죽을 것이며 그 이유는 톰 대신 죽는 거라고 말했다. 톰은 그 말의 뜻을 알아듣지 못했지만, 그날 이후로 강렬한 불안감에 휩싸였다. 그의 부모는 단지 꿈일 뿐이라며 그를 다독였지만, 며칠 뒤 꿈은 현실이 되었다. 물놀이용품 대여점을 하던 그의 부모는 폭풍우 몰아치던 날 같이 바다에서 실종되었다. 신고를 받은 경찰이 그들을 찾았지만 결국 찾지 못했고, 사건은 행방불명으로 종결지었다.

톰은 꿈속에서 그의 부모가 수장된 모습을 봤지만, 위치는 알 수 없었다. 어린 톰은 부모의 죽음이 자기 때문이라는 죄책감에 힘들어했다. 그 뿌리 깊은 죄책감은 여태까지 그의 가슴을 짓누르고 있다.

또 부모님 사망 후 학교생활도 많이 달라졌다. 톰의 천재적인 면모를 시기하던 애들이 서서히 그를 괴롭히기 시작했다. 그들은 톰을 고아라고 놀리다가, 학용품까지 빼앗고, 구타로 이어지며 악행이 점점 더 대담해졌다. 이 사실을 안 조부모는 매우 슬퍼했다. 그 모습을 본 톰은 굳은 결심을 했다. 그는 유튜브를 보고 호신술을 연습하고, 달리기를 통해 체력을 올렸다. 그리고 자신을 괴롭힌 한 명 한 명에게 공개 결투신청을 해 그들에게 잊지 못할 고통을 안겨줬다. 열 살에 시작한 호신술은 지금의 강인한 그로 만들었다.

톰의 의식이 깊어지자 그의 귀에 익숙한 악기 소리가 들렸다. 그의 감은 눈 속에서 밝은 빛이 나타났다가 사라지기를 반복했다.

오늘은 밝은 빛이 점점 더 커지더니 흰색 정장을 입은 중년남성으로 변했다. 그는 은회색 머리칼에 짙푸른 눈동자를 가진 백인 남성으로 마치 남성 잡지에 나오는 중년 모델 같았다.

"톰, 내 목소리가 들리느냐?" 그의 목소리는 트럼펫 소리와 흡사했다.

"누구세요?" 톰은 그의 출현에 놀라워하며 대답했다.

"들리는구나! 나는 대천사 가브리엘이다." 가브리엘은 톰의 즉각적인 반응에 매우 기쁜 목소리로 답했다.

"대천사 가브리엘? 성모 마리아에게 수태고지를 했던 그 가브리엘?"

"그렇다. 또한, 나는 이슬람의 창시자 무함마드의 조언자로도 활약하였다." 가브리엘은 자신의 약력을 자랑스러운 듯 말했다. 그는 유대교, 그리스도교, 이슬람교에서 신의 전령으로 가장 유명한 대천사이다. 세례요한과 예수의 탄생을 예고한 천사가 바로 그다.

"성화에 나오는 모습과는 영 다른데요?" 톰이 외모를 지목하자, 그는 시큰둥한 표정으로 손가락을 한 번 튕겼다. 그러자, 그는 등 뒤에 흰색의 큰 날개를 단 중성적인 매력의 미소년으로 변했다.

"뭐 대충 이런 외모로 많이 알고 있지? 이 모습은 이천 년 전 스타일이고, 현재는 지금의 유행이 반영된 모습이야. 넌 미국 드라마도 안 보니? 정말 사람들은 천사에 대한 고정관념이 너무 심해! 도대체 내 나이가 몇인데 미성년자의 모습으로 있어야 하냐고." 가브리엘은 설명하다가 이내 푸념으로 이어졌다. 톰은 짧은 대화로 가브리엘이 상당히 까칠하다는 사실을 알았다.

"예, 잘 알겠습니다. 외모는 천사님 편한 대로 하세요." 가브리엘의 마음을 간파한 톰이 재빨리 의문을 철회했다. 그러자 가브리엘이 다시 멋스러운 중년의 모습으로 되돌아왔다.

"역시 자네는 말귀를 알아듣는군."

"네. 대천사님이 왜 저를 찾아오셨는지 궁금합니다."

"아~ 그게 말이야. 할리우드 영화 때문에 내 말이 클리셰가 되어버렸지만, 이건 정말 믿어줘야 해! 인류 멸망을 막아야 하는 메시아 후보 중에 자네가 뽑혔네." 가브리엘은 절박하게 말했지만, 톰의 표정은 금방 싸늘해졌다.

"천사님, 가까이 와 보세요."

"왜?" 톰이 가브리엘의 눈을 유심히 들여다보다가 고개를 갸웃거렸다.

"눈이 빨간 것도 아니고, 녹색도 아니면 확실히 악마는 아닌데?" 톰이 아주 찝찝하다는 표정으로 중얼거리자, 가브리엘은 마음에 큰 상처를 받았다.

"내가 이래서 천사를 때려치우려고 하는 거야! 요즘 것들은 의심이 너무 많아?! 이 짓도 이젠 끝이야! 더는 안 해!!!" 가브리엘이 윗옷을 거칠게 벗어 땅에 패대기를 치며 분통을 터뜨렸다.

"죄송해요. 직업이 기자라서 쉽게 못 믿어요. 그럼, 마저 말씀하세요." 톰은 멋쩍은 듯 웃으며 태세를 전환했다.

"그래! 믿고 안 믿고 간에 내가 있는 그대로를 얘기할 테니 잘 들어

봐! 나 대천사야!" 가브리엘은 겨우 분을 삭이고 말을 이었다.

"지금 아주 긴박한 상황이야! 너희가 멸망의 위험에서 세상을 구해야 해. 아니, 극소수의 착한 사람을 구해야 한다는 말이 더 맞겠지."

"이미 코로나로 엄청난 희생자가 났는데, 또 무슨 일이 있습니까?"

"사실, 코로나는 자연이 보낸 마지막 경고였어. 안타깝게도 인류는 그 메시지를 전혀 이해하지 못했고." 뜻밖의 말에 톰이 그를 응시했다.

"자연이 우리에게 보낸 메시지가 무엇이었습니까?"

"자연은 코로나로 인류를 한동안 그들의 집안에 가두었지. 마치 폭주하는 맹수에게 재갈을 물리고 우리에 가두듯이 말이야. 생각해봐. 마스크 쓰고 집안에 갇혀있던 우울했던 기억 말이야. 자연은 인류를 집에 가두고 스스로 반성할 시간을 준거야. 자연과 공생할 방안을 찾으라고. 그런데 인류는 그 메시지를 전혀 이해하지 못했어."

"듣고 보니, 자연이 준 메시지는 아주 명확했네요."

"그래서 내가 전 세계 종교 지도자와 정치가의 꿈속에 찾아가 해법을 말해줬지. 그런데 그걸 기억하고 행동하는 인간이 하나도 없어! 도대체 그들의 역할이 뭔지 모르겠어!" 또 화가 난 가브리엘의 목소리는 너무 커서 천둥소리 같았고, 톰은 귀를 막아야만 했다.

"그 해법이 뭔가요?"

"지금 말 안 해도 자네도 곧 알게 돼."

"그럼, 인류 멸망이 임박했다는 말은 무슨 뜻이죠?"

"얼마 전까지도 천국은 인류가 최악의 사태를 겪지 않게 돕고 있었어. 그런데 이젠 천국도 더는 인류를 돕지 않을 거야."

"구체적으로 천국이 무슨 뜻이죠?"

"신과 천사들이라고 할 수 있지."

"그런데 왜 우리를 돕지 않게 되었죠?"

"인류에 의해 멸종된 동물들이 더는 인류를 돕지 말라고 청원을 해서 천국이 중립을 지키기로 했거든. 지구의 여신 가이아도 이젠 견디기 힘든가 봐."

"그렇군요. 그런데 대천사님은 왜 인류를 도우려고 하시죠?"

"굳이 말로 표현하자면, 인류를 위해 희생했던 선지자들에 대한 마지막 의리랄까?!" 가브리엘은 착잡한 표정을 숨기지 못했다. 하지만 톰은 '왜 그는 나를 찾아왔을까?' 하는 의문이 수그러들지 않았다.

"그렇군요. 그런데 인류를 살리는 그 큰일을 내게 맡기겠다는 건 이해할 수 없습니다. 뭔가 잘못 안 것 같은데 저는 그런 큰일을 할 재목이 안 됩니다."

"나 가브리엘이 사람을 잘 못 보는 경우는 없어. 너는 시리아 가톨릭의 계승자야. 봐! 지금도 네 가문 대대로 이어온 명상법으로 나랑 이렇게 소통까지 잘 되잖아."

"글쎄요. 쉽게 믿기가 힘듭니다. 천사님은 저의 어떤 점이 메시아가 되기에 적당하다고 생각하세요?"

"깡?!"

"예? 깡? 방금 지어낸 거죠? 그게 말이 됩니까?"

"왜 말이 안 돼? 메시아 예수를 봐도 알 수 있잖아. 그분은 유대의 모든 마을을 삼 년 동안 돌며 그곳의 가장 뛰어난 랍비들과 매일같이 랩 배틀, 아니 논쟁을 했다는 사실은 알지?"

"예! 그런데요?"

"또 자신을 하느님의 아들이라고 말한 내용도 알지?"

"알죠!"

"또, 예루살렘 성전 안의 환전상 탁자를 모두 뒤엎으며 '독사의 족속'이라고 욕을 퍼부어 댄 것도 잘 알지? 과연 왕족도 제사장도 아닌 한낱 평민이 어떻게 로마군의 비호를 받던 제사장과 환전상을 이렇게 대할 수 있었을까?"

"그건 메시아로서 숨김없이 바른말을 한 게 아닙니까?"

"이 세상에서 가장 힘든 일이 진실을 얘기하는 거네. 그리고 그게 과연 체력과 강단이 없으면 가능한 일인가?"

"아니요."

"체력과 강단을 합한 말이 깡일세. 기세 말이야."

"말이 안 되는데 묘하게 설득이 되네요. 그런데 인류가 멸망한다면 어떤 식으로 멸망하게 되죠?"

"네가 상상할 수 있는 모든 위험이 연이어 현실로 나타날 거야." 가브리엘의 말에 톰의 표정이 얼어붙었다.

"그리고 곧 인류 멸망의 신호탄으로 대량의 운석 충돌과 화산폭발이 곧 있을 거야."

"화산폭발은 그렇다 치고 운석은 하루에만 백 톤씩 떨어진다고 알고 있습니다. 그중 70%는 바다에 떨어지고, 나머지는 대기권에 돌입하는 중 압축열 때문에 사라지죠."

"내 말을 안 믿는군. 천국의 보호가 사라진 지금은 지상에도 운석이 떨어지게 되었어. 내일 이집트의 피라미드가 운석에 파괴되는 걸 보게 될 거야. 그때 다시 보세." 가브리엘의 모습은 흐릿해지며 빛 덩어리로 변해 사라졌다. 명상차원에서 빠져나온 톰은 마음이 복잡해졌다. 그는 언덕을 내려와 첸나이 도심의 화려한 네온사인 사이로 자전거를 타고 달렸다.

다음 날 아침, 톰이 신문사 문을 열고 들어가니 마크가 매우 충격받은 얼굴로 노트북을 보고 있다. 톰이 옆에 앉으며 노트북 화면을 자신의 방향으로 돌렸다. 영상에서는 큰 산의 하늘 위로 회색 연기가 가득하고 그 사이로 대형버스만큼 큰 불덩이들이 사방으로 흩어졌다. 산 정상에서 검붉은 마그마가 눈밭을 녹여 어마어마한 수증기를 발산하며 서서히 아래로 흘러내렸다. "일본 후지산 화산폭발!"이라는 문구가 화면 아래 적혀있다. 도시의 빌딩 숲은 이미 불바다가 되어 지옥이 따로 없다. 급하게 피신하는 인근 주민의 끝없는 차량 행렬도 긴 도로를 뒤덮었다.

그런데 방금 나온 속보라며 이집트 기자(Giza)의 피라미드가 운석에 맞아 파괴되었다는 뉴스가 나왔다. 흰 꼬리를 가진 거대한 화염 덩어리 수십 개가 하늘에서 날아와 백여 미터가 넘는 피라미드 세 개를 연이어 강타했다. 그 충격으로 피라미드의 큰 돌들이 주사위처럼 사방으로 흩어졌다. 피라미드 근처에 있던 사람들은 비명을 지르며 도망을 가지만, 일부는 굴러다니는 수많은 바위에 깔렸다. 관광객이 직접 찍은 영상은 생생함을 더 했고, 화면 마지막에는 충돌로 말미암은 강풍으로 모래바람이 심하게 불었다. 그러자, 톰은 얼굴을 감싸 쥐며 긴 한숨을 쉬었다.

그날 밤 톰은 허름한 자신의 원룸에서 가부좌를 틀고 앉아 명상에 빠져있다. 호흡이 느려지고 내면에 의식이 집중되자, 가브리엘이 이번에는 노란색 정장을 입고 톰의 눈앞에 나타났다.
"뉴스를 보니 생각이 어때?"
"정말 운석 충돌과 화산폭발이 동시에 일어날 줄은 몰랐습니다. 그런데 자연재해는 사람이 어떻게 바꿀 수 없는 거 아닌가요?"
"자연재해는 바꿀 수 없더라도 그 자리를 피할 수는 있지."
"그럼, 피하라는 제 말을 믿어줄 사람이 있을까요?"
"사람마다 말의 힘이 다르지. 내가 아는 선지자들은 말에 특별한 힘이 있었어. 지혜에서 나오는 특별한 힘!"
"지혜? 힘?"
"그래서, 네게 권능과 지혜를 일깨워 줄 분을 소개하겠네."
"누구를요?"
"그는 천국의 열쇠 전달자 데브 무니(Dav Muni)다."
"그분을 어떻게 만나죠?"
"히말라야 강고트리(Ganggotri)로 가서 그를 찾게."
"갠지스강의 발원지로 유명한 그곳 말이죠?"
"그래. 기자라 그건 잘 아는군."
"그런데 그분을 어떻게 찾을 수 있을까요?"
"애타게 기다리고 있을걸세."

"그래요?"

"지체할수록 모든 것이 힘들어지네."

"제가 천사님을 다시 만나려면 어떻게 해야 합니까?"

"아마, 다시 볼 수 없을 걸세."

"혹시 이 일로 천국에서 불이익을 당하나요?"

"걱정하지 말게. 나는 마땅히 해야 할 일을 했을 뿐이니."

제3화 데브 무니

다음날, 톰이 밤잠을 설친 까칠한 얼굴로 늦게 나타나서 먼저 출근한 마크에게 말을 걸었다.

"마크! 할 얘기가 있어."

"오 그래. 내가 한 얘기 생각해 봤어?" 마크는 노트북을 덮고 톰을 향해 돌아앉았다.

"진지하게 들어." 톰의 말에 마크는 긴장한 듯 침을 삼켰다.

"내가 시간 날 때마다 성 토마스 교회에 들러서 명상하는 거 잘 알고 있지."

"물론 알고 있지. 사도 토마스가 네 오랜 조상에게 전수했다는 그 고대 명상법 말하는 거잖아."

"그런데, 명상 중에 대천사 가브리엘이 나타났었어. 두 번씩이나."

"야! 정말 왜 그래? 오늘 낯설다 너!" 마크는 몸을 뒤로 젖히고 팔짱을 끼며 황당해했다.

"농담이 아니야! 대천사 가브리엘이 운석 충돌과 화산폭발까지 모두 예언했었어."

"그래? 그럼 얘기나 들어볼까? 대체, 가브리엘 대천사는 어떻게 생겼어?" 마크는 문득 진지한 톰을 놀리고 싶어졌다.

"금발에 푸른 눈, 하얗고 창백한 피부를 가진 오십 대의 북유럽인 스타일!"

"오~ 그래? 그가 뭐라 그래? 운석 충돌과 화산폭발은 인류 멸망의 신호탄이고, 네가 인류를 구할 마지막 희망이다. 뭐 그런 식으로 말하던?" 마크는 이 비논리적이고 어색한 대화를 빨리 마무리하고 싶어서 생각나는 대로 얘기했다.

"응! 대화의 흐름이 대충 그런 식이었어." 톰이 멋쩍게 대답하자, 마크는 어이없는 표정으로 그를 빤히 봤다.

"톰! 우리는 논리에 죽고 사는 기자야! 지금은 21세기고! 그런데 그런 말을 나더러 믿으라는 거야?!"

"사실 나의 깊은 내면에는 내재 된 영웅 심리가 있어. 그래서 내게 나타난 가브리엘 대천사는 영웅 심리의 발현일 수도 있어. 그래서 꼭 확인하고 싶은 거야." 마크는 톰이 자신의 욕망까지 인식하고 있다는 사실에 조금 안심했다.

"그래서?"

"그래서 내게 천국의 열쇠를 전할 전달자가 있다는 히말라야 아래 강고트리로 가야 해."

"천국의 열쇠? 그건 또 뭔데?"

"천국의 힘과 지혜를 얻는 방법이라고 들었어."

"얼마나 자리를 비울 거야?"

"일주일 정도?"

"지금 장난하니? 둘이서 죽기 살기로 뉴스를 올려도 될까 말까인데, 일주일을 비운다고? 그리고 네가 없는 사이에 그놈들이 총 들고 나타나면 어떡하려고?"

"정말 미안한데 꼭 가야겠어."

"잠시 생각할 시간을 줘." 마크가 눈을 감고 곰곰이 생각하는 동안, 톰은 죄지은 학생처럼 숨죽이고 그 앞에 서 있었다.

"좋아! 그동안 휴가도 없이 달려왔으니까 휴가라고 생각하고 다녀와. 하지만 히말라야에서 확실히 마무리 짓고 와. 알겠지?" 마크는 어쩔 수 없다는 표정으로 톰의 휴가를 허가했다. 톰은 마크에게 다가가 그의 큰 어깨를 툭 쳤다.

며칠 뒤 아침, 강고트리(Gangotri)에 도착한 톰은 큰 배낭을 등에 메고, 계곡 위 다리 앞에 섰다. 다리 아래에는 빙하가 녹은 회색빛 강물이 거칠게 내려가고 있다. 삼나무 숲 녹음 가득한 능선 너머 눈부신 큰 설산이 보이고, 그 위로 새파란 하늘이 펼쳐졌다. 그는 처음 보는 경이로운 풍경에 혼자 중얼거렸다.

"이래서 이 산을 '신이 머무는 곳'이라고 하는군."

톰은 갠지스(Ganges)강에 대한 유명한 전설을 들은 적이 있다. 천국의 화원에 물을 대는 여신 '강가(Ganga)'가 인간들의 요청으로 지상을 정화하기 위해 내려오려고 했다. 하지만 그녀가 지상으로 내려오면 그 충격으로 지상의 모든 것이 파괴될 위험이 매우 컸다. 이 사실을 안 '시바 신'은 자신의 머리칼을 길게 늘여 뜨려 강가가 지상에 내려오는 충격을 흡수했고, 지상을 덮은 시바의 머리칼은 다시 수천 개의 지류가 되어 물길이 되었다. 그 갠지스의 시작지점 중 하나인 강고트리(Gangotri)는 힌두교의 최고성지이기도 하다.

톰은 상점가에 들러 만나는 사람마다 '데브 무니'를 아느냐고 물어봤지만, 아무도 그를 알지 못했다. 그가 하루를 다 허비하고 지쳐 갈 즈음, 힌두사원 관리인에게서 산속에 은둔 수행자가 몇 명 산다는 말을 들었다. 결국, 톰은 은둔 수행자들이 숨어 산다는 가파른 언덕을 오르기 시작했다. 그곳은 해발 삼천 미터가 넘는 곳이라, 톰도 서서히 고산병 징후가 나타났다. 그는 졸리듯 의식이 좀 흐려지고, 누가 허파를 쥐어짜는 듯 숨도 가빠왔다.

톰이 지쳐갈 즈음 노인 한 명이 길옆 바위 아래에 힘든 표정으로 기대있는 걸 발견했다. 톰은 부모가 실종된 뒤 자신을 키워준 할아버지가 문득 떠올랐다. 할아버지는 톰이 열세 살 되던 해에 가문에서 전수되는 명상법을 가르쳐줬다. 할아버지와 할머니는 톰이 수학여행을 떠났을 때 원인 모를 화재로 두 분 다 돌아가셨다. 그때도 꿈속에 장발의 남자가 나타나 얄밉게 웃으며 톰의 집에 장작불을 던졌다. 그리고 그는 톰 대신 그들의 목숨을 뺏어간다고 말했다. 톰은 조부모까지 잃자 더 큰 충격에 빠졌다. 홀로 된 그는 고등학교 졸업과 동시에 코치를 떠나 첸나이로 이사했다.

가까이서 본 노인은 머리카락이 거의 다 빠져 몇 가닥 남지 않았고, 입도 치아가 없는 듯 합죽했다. 그의 몸통은 갈비뼈가 다 드러나 보이고, 팔다리 역시 앙상해서 한겨울에 잎이 다 떨어진 나뭇가지를 연상케 했다. 그리고 아랫도리만 색 바랜 천으로 대충 가린 행색은 남루하기 짝이 없다. 톰은 혹시나 하는 마음에 합장하고 말을 걸었다.

"어르신, 혹시 '데브 무니'란 분을 아세요?"

"응~ 누구?" 대답하는 노인의 입속에는 아랫니 하나밖에 없었다. 귀를 돌려 듣는 행동으로 봐서는 한쪽 귀까지 어두운 것 같다.

"데브 무니요!" 톰은 절박한 마음으로 한 번 더 크게 소리쳤다.

"데브 므니? 알지. 옆 동굴 늙은이 같은데?"

"데브 무니 님을 아신다고요?" 톰의 마음에는 희망이 차올랐다.

"근데……."

"그런데요?"

"어제 죽었어." 노인은 무심하게 툭 던졌다.

"아니 왜요?" 톰은 금방 울상이 되었다.

"자기가 이곳에 더 있을 이유가 없어졌다더니, 어제 아침에 가니 죽어있더군."

"그래요?"

"데브 므니를 찾아왔다면 그냥 돌아가!"

"그럼, 그분의 시체는 어떻게 되었습니까?"

"동굴을 쓸 다음 사람이 수습하겠지."

"어르신 혹시 그 동굴까지 안내해 주겠습니까?"

"왜? 시체 수습이라도 하게?"

"네. 저하고 인연이 있을 뻔했던 분이라서요."

"그렇게 신경 쓰지 말게. 이곳에서는 시체 수습은 아주 쉬우니. 동굴 밖에 며칠만 놓아두면 독수리가 뼈만 남겨 둘 테니."

"그래도 그 뒷수습은 제가 하고 싶습니다만."

"그럼 나야 좋지. 안 그래도 다리가 아파서 못 올라가고 있는 참인데……."

"어떻게 도와드릴까요?"

“동굴까지 좀 업어줬으면 좋겠네.”

“네, 그럼.” 톰은 노인 앞에 등을 보이고 앉았다.

노인은 마른 가지 같은 두 팔로 톰의 목을 감쌌다. 톰은 노인이 겉모습과는 달리 매우 무거워서 내심 놀랐다. 톰은 그를 업고 돌투성이의 언덕길을 조심스럽게 걸어 올라갔다. 모퉁이를 돌자 작은 개울이 그들의 앞을 가로막았다.

“개울 저쪽이 얕은 편이니 그리고 가세.”

길 안내를 하는 노인의 입에서 역한 입 냄새가 훅 끼쳐왔다. 톰은 고개를 황급히 돌리며 내색하지 않으려고 노력했다. 노인이 말한 개울 근처에 도착해 물속을 들여다보았다.

“걱정하지 마. 무릎 정도야.” 노인의 말과 달리 언뜻 보기에도 물살은 빠르고 무릎길이보다는 더 깊어 보였다.

톰은 천천히 개울을 건너기 시작했다. 톰은 피부에 닿은 개울물이 마치 얼음처럼 차가워 온몸이 움츠러들었다.

“앗, 차가워!”

발이 물에 닿은 노인이 톰의 등에 더 바짝 달라붙으며 크게 소리 질렀다. 물이 더 깊어지자, 톰은 노인의 엉덩이를 높이 들어 올렸다. 차가운 강물이 한 번 더 노인의 발에 닿자, 노인은 심하게 버둥거렸다. 그의 몸부림과 빠른 물살에 톰은 중심을 잃고 휘청거렸다. 아직 개울을 반도 건너지 못한 상태였다.

“어깨 위에 태워줘! 물이 너무 차!”

노인은 어깨에 감았던 두 팔을 풀어 톰의 머리를 꽉 움켜잡았다. 그리고 꼬챙이 같은 한쪽 다리를 톰의 어깨에 올리려고 버둥댔다.

“어르신, 위험합니다.”

결국, 그는 톰의 어깨를 타고 올라가 목에 양다리를 걸치고 앉았다.

“이제 출발해!”

톰은 길게 한숨을 내쉬며 다시 개울을 건너는 데 집중했다. 그때, 어깨에 타고 있던 노인이 크게 재채기를 했다. 톰은 한순간 몸의 중심을 잃었다. 그리고 그를 목말 태운 채로 뒤로 벌렁 넘어졌다. 노인은 비명을 지르며 차가운 물 속에서 허우적댔다. 톰은 재빨리 일어나 그를 안아 일으켰다.

"아이고 죽겠다. 개울 하나 건너는 게 그렇게 힘드나?"

노인은 톰에게 벌컥 화를 내며 생떼를 부렸다. 톰은 연신 사과를 하며 그를 부축했다. 결국, 톰은 노인을 다시 업고 개울을 마저 건넜다.

"저기 언덕으로 올라가면 동굴이 보여." 그는 몹시 추운지 톰의 등에 딱 달라붙은 채 귀에 대고 소리쳤다. 그 소리가 어찌나 큰지 톰의 귀가 다 멍멍해질 정도였다.

톰은 노인을 업고 다시 가파른 언덕을 오르기 시작했다. 톰은 서서히 눈앞이 흐려지고 숨이 턱 밑까지 차올랐다. 어느 순간 톰은 등에서 다리 아래까지 따뜻한 물이 흘러내리는 것을 느꼈다. 톰이 놀라서 뒤돌아보았다. 톰과 눈이 마주친 노인은 겸연쩍게 웃고 있었다.

"아이고, 긴장이 풀려서 그만……. 자네도 늙어봐. 별수 없을걸?"

노인은 사과인지 변명인지 분간하기 힘든 말을 했다. 톰은 얼른 그를 동굴에 데려가려는 마음이 간절해졌다. 큰 바위를 지나 모퉁이를 돌자 노인이 말한 동굴이 나왔다. 하지만 지친 톰의 눈에는 동굴의 입구가 여러 개로 보였다. 톰은 조심스럽게 그를 동굴 입구에 내려놓고 큰 대자로 누워버렸다. 고산병 증상이 심해지는 듯 하늘이 빙빙 돌고 정신이 점점 흐려지다가 의식을 잃었다.

"이보게." 톰은 간신히 눈을 뜨고 주위를 살폈다. 노인은 나무를 깎아 만든 바가지에 물을 담아 그에게 권했다. 톰은 간신히 몸을 일으켜 물을 받아마셨다. 차가운 강물이 그의 목젖을 타고 내려가는 게 느껴졌다. 그러자, 정신이 맑아지며 서서히 몸이 한결 가벼워졌다.

"제가 오래 누워있었습니까?"

"젊은 사람이 그렇게 부실해서 무슨 일을 하겠어?"

"저 동굴 안에 데브 무니님의 시신이 있습니까?"

"사실은……." 노인이 말끝을 흐리며 살짝 뜸을 들였다.

"어르신이 데브 무니 십니까?"

"어라? 몸은 부실한데 눈치는 빠르구먼."

"저 원래 엄청나게 건강한데, 고산병으로 잠시 정신을 잃었을 뿐이거든요." 톰은 다소 억울한 목소리로 대답했다.

"근데 언제부터 눈치챘나?"

"개울에서 생떼 쓸 때부터요."

"생떼라니 시험이지. 얼마나 인내심이 있는지 알아보려고."

"그런데 처음에 왜 저를 돌려보내려고 하셨습니까? 그것도 시험입니까?"

"그편이 서로에게 좋을 것 같아서."

"더는 인간을 돕지 말라는 천국의 지시 때문인가요?"

"그것도 그렇고, 가브리엘이 자네에게 뭐라고 했는지 몰라도, 사실 열 명의 메시아가 나선다고 해도 인류 멸망은 되돌리기 힘들어."

"왜죠?"

"내가 몇 천 년 동안 인간을 지켜봤지만, 오만하고 탐욕스러운 본성은 변함없어. 그런 인류가 몇 년 만에 변하겠어? 천만의 말씀!"

"그렇군요."

"그렇지? 이전 선지자들은 인간 본성을 잘 몰라서 그들을 구하려다가 고통받고 살해까지 당했지. 난 더는 악순환을 보고 싶지 않아."

"하지만, 인류에게도 마지막 기회는 줘야 하지 않을까요?

"무슨 기회?"

"반성할 기회요."

"그게 가능할까?"

"이전 선지자들이 당근과 채찍을 사용했다면, 상황이 급하니 저는 채찍만을 사용할 겁니다."

"그건 인간들이 보기에 심판자나 악당에 더 가까운데. 그럼 누구보다 빠르게, 누구보다 처참하게 살해당하겠군." 데브 무니는 서늘한 표정으로 무심하게 쏘아붙였다.

"그런데 천국의 열쇠를 가지면 뭐가 달라지죠?"

"지혜와 권능."

"어느 정도의 능력인가요?"

"천국의 열쇠로 너의 눈을 열면 금방 알 수 있지. 지금으로서는 자네가 누구의 환생인지 알 수가 없어서 말이야."

"그럼, 저에게 그 기회를 주십시오."

"동굴로 따라 들어오게." 데브 무니는 아까와는 달리 당당하고 힘찬 걸음걸이로 앞장섰다. 동굴의 높이는 겨우 2m가 될까 말까 한 작은 크기지만, 깊이는 제법 깊어 꼬불꼬불 길게 들어갔다. 동굴의 끝에 들어서자, 그곳에는 작은 촛불이 켜져 있었다. 데브 무니는 동굴 바닥에 먼저 자리를 잡고 앉아 톰에게 마주 보고 앉기를 권했다. 톰의 눈에 데브 무니는 아까와는 달리 신성한 수행자처럼 보였다.

제4화 천국의 열쇠

데브 무니와 톰은 동굴 속에서 서로 마주 보고 앉아있다.

"마지막으로 묻겠노라. 구원자의 삶은 죽음보다 더한 고통이 따른다. 어리석은 자들은 너를 비웃고 돌팔매질을 할 것이고, 교만한 자들은 너를 의심하고 비난할 것이다. 또 가진 자들은 너를 강도보다 더한 자로 몰아서 죽이려고 할 것이다. 그래도 이 길을 선택하겠느냐?"

"네, 선택하겠습니다."

"너의 선택은 받아들여졌다. 나 데브 무니가 증인이 되겠노라. 눈을 감아라."

톰의 머릿속에 데브 무니가 보내는 내면의 에너지가 느껴졌다.

"전지전능한 신의 이름으로 그대에게 천국의 열쇠를 전하노라! 지혜의 눈에 의식을 집중하라."

톰은 눈을 감고 평소처럼 제3의 눈에 의식을 집중했다. 이윽고, 이마 중간에 있는 제3의 눈 차크라가 활짝 열리며, 수만 개의 광선 같은 빛이 어지럽게 쏟아져 들어왔다. 그 속에는 전생의 기억들도 빛의 형태로 날아와 그의 뇌에 흡수되었다. 강렬하기 짝이 없는 빛은 이내 천상의 음악 소리로 변하며 톰의 온몸을 가득 채웠다.

톰은 강렬한 빛과 천상의 음악에 취해 한참 동안 앉아있었다. 그는 긴 침묵 끝에 감겨있던 두 눈을 천천히 떴다. 데브 무니는 다소 긴장한 얼굴을 하고 톰의 앞에 앉아있었다. 데브 무니는 침묵을 깨고 말을 건넸다.

"톰, 당신이 전생에 누구였는지 기억나는가?"

"사도 토마스"

"그럼 그렇지! 사도 토마스지? 내 그럴 줄 알았어."

"그를 인도에 보낸 사람."

"정말? 대~박!"

데브 무니는 호기심 많은 소년처럼 아주 수다스럽게 물었다. "어때? 그때처럼 물 위를 걷고, 죽은 사람도 살릴 수 있을 거 같아?"

"그게 기분 같아서는 가능할 것 같기는 한데……." 톰은 오른쪽 어깨를 주무르며 조금 으스대듯이 말했다.

데브 무니는 동굴 구석에 있는 작은 옹달샘을 보여주며 말했다. "혹시 저기 샘물을 포도 주스로 바꿔줄 수 있는가?"

"그 정도는 가능하지 않을까요? 그리고 좀 여쭤볼 게 있는데……."

"말해보게."

"대천사 가브리엘이 제가 명상할 때 영상 통화 같이 나타나셨는데 그 방법을 알고 싶습니다."

"아! 영혼 통화? 그거 꽤 어려운데."

"그걸 영혼 통화라고 합니까?"

"그래. 그런데 그걸 어디에 쓰게?"

"접촉해야 할 사람이 전화로 통화하기 어려운 분이어서요."

"가르쳐주지. 일단 자네가 유체이탈상태에서 상대방이 잠들거나 기도할 때, 즉 두뇌는 쉬고 영혼이 깨어있을 때 대화를 시도하는 거지."

"그런 방법이었군요."

"자, 그럼 이리로 오게" 데브 무니는 톰의 소매를 끌고 옹달샘 앞으로 끌고 갔다. 톰은 샘에 손을 담그고 눈을 찔끔 감았다. 그리고 샘물이 포도주로 바뀌는 모습을 떠올리며 신에게 기도했다. 이윽고 톰의 손 주위부터 샘물이 점점 더 보라색을 띠며 변해갔다. 데브 무니는 희열에 차 기쁨의 소리를 질렀다. 톰은 자신도 놀라운 듯 자기의 손과 보라색으로 변한 샘물을 번갈아 봤다.

데브 무니는 기대에 찬 표정으로 한 모금 마셨다. 톰은 의기양양하게 그 모습을 지켜봤다.

"맛이 왜 이래?" 데브 무니는 아주 떨떠름한 표정으로 톰을 째려봤다. 당황한 톰은 바가지를 받아 샘물을 마셨다. 시다. 많이 시다.

"포도 맛이 좀 시기는 한데……."

"나는 좀 더 달콤한 맛을 원하네."

"잠깐만요." 톰은 한 번 더 샘물에 손을 담그고 기도를 했다. 하지만 여전히 샘물 맛은 시큼했다.

"아무래도 처음이어서 잘 안되네요."

"아니 세상을 구할 사람이 포도 주스 하나 제대로 못 만들면 어쩌나! 인류의 미래가 심히 걱정되는구먼." 데브 무니는 대놓고 빈정거렸다.

"너무 달아도 건강에는 안 좋아요." 톰은 입맛을 다시며 변명했다.

"핑계는……." 데브 무니는 눈을 흘기며 중얼거렸다.

톰은 걱정스러운 눈빛으로 말을 이었다. "앞으로 가브리엘님과 데브 무니님은 어떻게 됩니까?"

"천국의 처분에 따라야지."

"제가 도울 방법은 없습니까?"

"천국의 법은 매우 엄중하네. 그 엄중함이 있었기에 우주가 유지될 수 있었지. 메시아는 메시아의 일을 하게. 그러면 된다네."

"두 분께 저와 인류가 큰 은혜를 입었습니다."

"시작은 어떻게 할 건가?"

"급한 불 먼저 꺼야겠죠." 결의에 찬 톰의 눈은 이미 동굴 밖을 향해 있었다.

며칠 뒤 아침, 톰이 수염이 덥수룩한 모습으로 신문사 문 앞에 도착했다. 그는 문이 조금 열려있는 걸 보고 의아해하며 실내로 들어섰다. 그런데 사무실 바닥에 마크가 입가에 피를 잔뜩 묻힌 채 쓰러져있다. 책상 위에는 책들이 마구 흩트려져 있다. 톰은 무슨 일이 있었음을 직감했다. 톰은 황급히 마크에게 다가가 그의 몸을 세차게 흔들었다.

"마크! 마크!" 톰의 고함에 마크가 정신이 드는 듯 미간을 찌푸린 채 눈을 떴다.

"왔어?" 마크가 깨어나자, 톰은 그제야 한숨을 돌렸다.

"무슨 일이 있었어?"

"아니." 마크는 태연하게 하품을 하며 일어났다.

"그럼 입에 이 핏자국은 뭐야?" 톰의 말에 마크는 손등으로 입가를 쓱 닦아 보더니 별일 아니라는 듯 바지에 닦았다.

"이거 새벽에 식빵에 케첩을 넣어 먹어서 그런가 봐."

"그럼 간이침대를 두고 왜 바닥에서 자고 있어?"

"어제 에어컨이 고장 나서 너무 덥더라고. 그래서 시원한 바닥에서 잔 거야." 마크의 대답에 톰은 표정이 서서히 일그러졌다.

"이 자식이? 책상에 저 어지럽혀진 책들은 뭐야?"

"자료조사를 위해 도서관에서 빌려 온 책이야." 이쯤 되자 톰은 기가 찬 표정이다.

"나 없는 사이에 뭔 일 난 줄 알았잖아! 그리고 아무리 더워도 문을 함부로 열어놓고 자면 안 돼! 또, 뭘 먹었으면 입 주변은 잘 닦아야지. 너의 그 험악한 몽타주에 케첩이 묻어있으면, 그게 피로 보이지 케첩으로 보이겠어? 또 내가 말했었지! 책상 위는 항상 정리정돈 잘하라고!" 톰이 잔소리를 늘어놓자 마크가 피하려고 톰을 슬쩍 밀쳤다. 그런데 톰이 눈동자가 살짝 풀리며 뒤로 풀썩 주저앉았다. 마크가 놀라서 그의 눈을 보며 톰의 이름을 불렀다.

톰은 마크의 목소리가 아득하게 들리며, 그의 얼굴이 이전에 알던 누군가와 겹쳐서 보였다. 톰은 고개를 갸웃하며 마크의 두 눈을 응시했는데, 그 순간 마크의 전생이 그의 뇌에 빠르게 사진 파일 형태로 들어왔다. 그 순간 톰은 마크의 전생을 확연하게 알게 되었다. 놀랍게도 그는 사도 토마스였다.

사도 토마스는 예수와 유난히 외모가 많이 닮아서 쌍둥이 동생이라는 별명으로 불렸었다. 또한, 예수는 그를 동생같이 아껴서 가장 오래 곁에 두고 가르쳤던 제자였다. 그런 그가 이 천 년 뒤 대학 동기로 만나 친구이자, 가장 든든한 직장 동료로 톰의 곁을 지키고 있었다.

"괜찮아?" 마크의 목소리가 흐릿하게 들렸다.

"응 괜찮아." 톰은 혼란스러움을 진정시키며 건성으로 대답했다. 톰은 마크의 정체를 알고 재회의 기쁨에 왈칵 눈물을 쏟아냈다.

"왜 그래? 눈물을 흘릴 정도로 놀란 거야?"

마크는 영문을 알 수 없는 그의 행동에 적잖게 당황한 눈치다.

잠시 후 톰이 진정되는 기미를 보이자 마크가 질문 공세를 폈다.

"정말 강고트리에 바바지(Babaji) 같은 전달자가 있었나?" 바바지란 원래 인도의 유명한 요기 성자인데, 요즘은 나이든 수행자를 이르는 말로 쓰인다.

"응."

"천국의 열쇠는 전달받았고?" "응."

"그래서 진정한 자아를 찾았나?!" "응."

"그럼 너는 앞으로 어쩔 생각이야?"

"오늘 저녁 바티칸으로 출발할 거야!"

"바티칸? 정말 낯설다. 너! 신문사는 어떡하고?" 톰의 황당한 대답에 마크는 펄쩍 뛰며 소리쳤다.

"신문사는 일단 큰 고비를 넘기고 보자. 오늘 저녁 공항에 바티칸 사람들이 마중 나올 거야."

"마중을 나와? 바티칸에는 누구를 만나러 가는데?"

"교황님."

"교황님이 너를 왜 만나?"

"인류에게 곧 큰 위기가 닥치고, 내가 그 해결책을 알거든."

"그럼, 바티칸에는 언제 연락한 거야?"

"며칠 전 강고트리를 내려오면서 바티칸에 메일을 보냈는데, 방금 이사벨이라는 바티칸 직원에게서 연락을 받았어."

"아~ 그러니까 네가 바티칸에 메일을 보냈고, 그곳에서 순순히 안내인을 보내줬단 말이지? 그 말인즉슨 바티칸에서 너를 인정해줬다는 거야? 그렇게 쉽게?" 마크는 안 믿기는 표정으로 혼란스러운 상황을 정리하려고 했다.

"내가 재림한 그분이라고 했거든."

"그분? 누구?" 마크가 선뜻 누군가를 떠올리지 못했다. 그러다가 무언가를 떠올리고는 동공이 크게 확대됐다. "네가 재림예수? 너 막 나가는구나. 그나저나 내가 재림예수라고 말했니? 내가 이 사이비스러운 단어를 말할 줄이야." 마크는 자신의 입을 손바닥으로 치며 자책했다.

"재림예수! 가장 존중받아야 할 문구가 어리석은 인간들 때문에 가장 천박한 문구가 되어버렸구나. 물론 자신이 재림예수라고 떠들었던 자들은 모두 지옥의 유황불에 지져지고 있겠지만." 톰이 분노에 휩싸여 혼자 중얼거리자, 마크는 기가 차 말을 잇지 못했다.

"잘 들어 마크! 내가 히말라야에 가서 '데브 무니'라는 분에게 '천국의 열쇠'라는 명상법을 배웠고," 톰이 지난 상황을 길고 자세하게 설명했다.

그러자 마크는 그의 얘기를 다 듣고 의심이 덜 풀린 눈으로 뜬금없는 요구를 했다. "톰, 그럼 공중부양해 봐! 그 정도는 할 수 있어야 하는 거 아니냐?"

"내가 꼭 그런 식으로 증명을 해야겠니?" 톰이 마크의 유치한 요구에 살짝 불쾌한 표정을 지었다.

"응. 당연히. 공중부양 성공하면 다 믿어줄게. 나 어렸을 때부터 예수 그리스도가 강물을 걸어오는 영화장면을 보고 '저게 정말 가능한가?' 하는 상상을 했었어. 제발 보여줘! 제발!" 마크가 얘기 끝에 거친 외모에 어울리지 않게 어린아이처럼 떼까지 썼다.

톰은 어쩔 수 없다는 듯 한숨을 쉬고 눈을 감았다. 그리고 두 팔을 벌리고 고개를 서서히 뒤로 젖혔다. 마크는 흥미진진한 광경을 보기 위해 자세를 낮추고 톰의 발에 시선을 집중했다. 톰의 얼굴이 빨갛게 달아오르자, 마크의 눈이 점점 커졌다.

톰의 몸이 지면에서 십 센티 정도 떠오르자 마크는 휴대전화로 사진을 찍었다. 그때 휴대전화의 조명이 터지고, 톰은 집중력을 잃고 땅 위로 바로 넘어졌다.

"우와! 이게 정말 가능하구나."

"휴~ 내가 화장실만 다녀왔어도 이십 센티는 문제없었어." 톰은 별 일 아니라는 듯 무릎의 흙을 털었다.

"오케이 결심했어! 나도 같이 갈 거야."

"정말? 목숨이 위험해질 수도 있는데?"

"지구 종말이 멀지 않았다는 네 말이 사실이라면 조금 더 일찍 죽는 거일 뿐이고, 만일의 사태에 바티칸에서 너를 변호해줄 사람은 오직 나뿐이잖아."

"용기 내줘서 고마워. 토마스!" 톰이 마크의 큰 어깨를 다정하게 툭 툭 쳤다.

"토마스? 그게 무슨 소리야? 내가 왜 토마스야! 불안하게 왜 이래?" 마크는 다시 혼란스러운 얼굴로 투덜댔다.

"아! 미안. 나중에 설명해 줄게. 난 바티칸에 추가 좌석을 부탁할 테니, 너는 여권부터 챙겨." 톰은 얼버무리며 말꼬리를 바꿨다.

제5화 로마인 베드로

며칠 전, 바티칸.

교황은 바쁜 일과를 마치고 교황청 내에 있는 숙소에 돌아왔다. 숙소로 돌아온 그는 흰색의 교황 옷에서 편한 옷으로 갈아입었다. 욕실에서 씻고 돌아온 그는 벽 앞에 있는 작은 테이블로 다가갔다. 테이블 위에 청동으로 만든 작은 십자가가 놓여있다.

교황은 테이블에 두 팔꿈치를 걸치고 바닥에 무릎을 꿇었다. 이내 그는 눈을 감고 기도에 빠져들었다. 시간이 지나 기도를 마친 그는 테이블을 짚고 일어나 침대로 다가갔다. 그는 은은한 실내등을 끄고 침대에 누웠다.

"교황님! 교황님!" 누군가 다급하게 부르는 소리에 교황은 눈을 떴다. 그는 일어나 주위를 둘러봤지만 아무도 없었다. 그가 다시 누우려는 하는데 침대 맞은편 벽 앞에 사람 형상의 빛 덩어리가 나타났다. 이내 빛 덩어리는 낯선 인도 젊은이의 모습으로 변했다.

"교황님! 제가 보이세요?"

"당신은 누구세요?" 교황은 그의 몸이 영혼이라는 걸 직감했다.

"저는 인도 첸나이에 사는 '톰 아니쉬크' 입니다. 잘 보이세요?"

"네, 잘 보입니다. 대체 무슨 일이세요?"

"지금 교황님은 잠든 상태입니다. 혹시 이전 꿈에 가브리엘 대천사가 방문했던 걸 기억하세요?"

"아~그랬었나요?" 교황은 가까스로 기억을 되살리며 대답했다.

"가브리엘이 했던 말은 기억나세요?"

"그게." 교황은 기억을 더듬어보지만 명확하게 떠오르는 게 없었다.

"가브리엘 대천사의 말에 의하면 세 번이나 교황님의 꿈에 나타나 중요한 대화를 나누었다고 합니다."

"네, 대천사님이 꿈에 나타나 어떤 내용을 심각하게 말씀하셨는데,

깨고 나니 기억이 가물가물하니 잘 나지 않더군요."

"역시 그랬었군요. 사실 지금 우리는 인류 멸망의 위기에 놓여있습니다. 그리고 제가." 그때 톰의 모습이 흐릿해지며 없어졌다가 나타났다가를 반복했다.

"어? 이거 왜 이러지? 제가 가브리엘 대천사의. 간택으로. 새로운 메시아가 되었습니다." 당황한 톰의 목소리가 불규칙하게 들렸다.

"뭐라고요?"

"새. 로. 운. 메시아요." 이젠 톰의 목소리까지 일정하지 않았다.

"메시아?! 재림 예수?"

"네! 제가 교황청으로. 메일을. 보내겠습니다."

"메일을 보낸다고요?"

"네! 그러니 꿈에서 깨면. 꼭 메모해. 놓으세요."

"메모하라고요?"

"네, 꼭." 톰의 다급한 목소리가 작아지며, 그의 모습은 불꽃놀이 할 때 폭죽이 사라지듯 이내 사라졌다.

"메모!" 교황은 소리를 지르며 눈을 떴다. 그는 자신이 테이블에 엎드린 채, 기도하던 자세로 잠들었다는 것을 알아차렸다.

"뭔 꿈이 이렇게 맥락이 없지? 아 참 메모하라고 했지." 그는 펜을 찾아 생각나는 대로 메모지 위에 글을 쓰기 시작했다.

"인도 첸나이, 톰 아니쉬크, 메시아, 재림 예수, 인류 멸망, 메일 보내기로 함."

다음날 오전.

바티칸 시국의 웅장한 건물 위로 먹구름이 빠르게 흐르고 있다. 흰 예복을 입은 교황이 미사를 마치고 집무실 문을 열고 느린 걸음으로 들어왔다. 베이지 톤 카펫 위를 걷는 교황의 가슴에는 큰 십자가가 걸려있다. 교황은 벨벳 소재의 녹색 소파에 앉았다.

교황은 피로해 보이지만 미소를 잃지 않았다. 그는 여든이 넘은 고령

인데도 불구하고 아직 큰 병 없이 잘 지내고 있다.

교황은 역대 어느 교황들보다도 솔직하고 친근한 이미지로 대중의 인기를 얻었다. 그는 노구를 이끌고 세계 각국을 다니며 평화와 용서를 강론했다.

뒤따라 들어온 검은 신부복의 루치오(Lucius) 궁무처장은 교황의 건너편 소파에 굼뜬 동작으로 앉았다. 루치오 궁무처장은 교황의 비서 겸 재무관이다. 교황보다 다섯 살 어린 루치오는 요새 들어 치통과 부쩍 늘어난 체중으로 고생 중이다. 그는 밤잠을 설친 사람처럼 눈그늘이 진하게 자리 잡고 있어서 사뭇 우울해 보인다.

"오늘따라 루치오 경이 더 힘들어 보입니다. 건강을 생각해서 술과 담배 중 하나는 끊어야 합니다." 교황은 루치오의 전에 없이 푸석해진 얼굴을 걱정스럽게 말했다.

"이제 담배는 식후에만 피우고, 술은 잠이 안 올 때만 마시고 있습니다."

"이제는 몸을 잘 보살펴야 할 나이입니다."

"그것도 인생의 낙이니 너무 야단치지 마세요. 성하, 히틀러가 세상에서 가장 무서워했던 사람이 누구인 줄 아십니까?" 루치오는 음울한 목소리로 난데없이 물었다.

"글쎄요. 그 무시무시한 독재자가 두려워한 사람이 있었나요?"

"독재자가 그 사람과의 약속 시각이 되면 두려움에 안절부절못하다가 결국에는 만남을 피했다고 합니다."

"정말로 그를 공포에 질리게 한 사람이 있었단 말입니까?" 교황은 아무리 생각해도 뇌리에 떠오르는 사람이 없었다.

"그는 바로 담당 치과의사였다고 합니다." 교황은 자신도 모르게 웃음이 터져 나왔다.

"독재자는 매일같이 초콜릿, 비스킷, 그리고 건포도와 견과류를 얹은 사과 케이크를 즐겼다고 합니다. 덕분에 그의 치아는 엉망이 되었고 치과 치료를 받느라 매우 힘들어했다고 합니다."

"그래서 추기경도 이제 그 좋아하는 케이크를 끊을 생각이오?"

"아니 이 쓰디쓴 세상에 달콤한 케이크마저 없다면 무슨 기쁨으로 살아간단 말씀입니까?" 루치오는 떼쓰는 어린아이 같은 표정으로 소리쳤다.

"난 추기경의 그 거침없는 입담이 아주 마음에 듭니다. 그렇지만 당신의 치아를 치료해주는 의사에게 감사하는 마음은 잊지 마세요. 치의학이 발달하기 전에는 늙어서 이가 빠지기 시작하면 관을 짰다고 합니다. 아 참, 그사이 내가 부탁한 조사는 좀 진행되었소?"

교황은 웃음 끝에 낮은 목소리로 그에게 일에 관해 물었다. 그러자 루치오의 얼굴에 난감함이 떠올랐다.

"말씀대로 마피아가 바티칸은행을 통해 돈세탁하는 정황을 찾아냈습니다. 또, 돈세탁과 관련된 성직자의 명단도 추적 중입니다. 그런데 예상보다 많은 사람이 연루되어 있어서 고위층 인물이 윗선으로 보입니다."

"신문사보다 우리가 먼저 알아내서 해결해야 합니다. 신문사에서 먼저 터뜨리면 절대 안 됩니다." 온화하던 교황의 얼굴에 암울한 기색이 떠올랐다. 교황은 시간이 지날수록 가톨릭 내부의 심각한 문제들이 그를 괴롭혔다. 로마가톨릭은 전 세계에 3,000개의 교구와 46만 명이 넘는 성직자가 있는 터라, 위상을 떨어뜨리는 사건, 사고가 끊이지 않았다.

교황은 자신이 쓴 메모를 호주머니에서 꺼내보고, 신중한 목소리로 천천히 입을 뗐다.

"한 가지 더 부탁할 것이 있소."

"네. 성하." 루치오는 교황의 옆모습을 바라보면서 귀를 세웠다.

"지금부터 교황청 홈페이지에 자신이 인도 첸나이에 사는 '톰 아니쉬크'라는 사람의 메일이 오면 내게 알려주세요."

"예, 성하. 그런데 그 톰은 누구입니까?"

"그가 아마 재림하신 그분 같소. 지난밤 기도 중에 그분이 나타나 인류가 종말의 위험에 처했다고 했소. 그래서 그분이 곧 찾아올 겁니다." 루치오는 교황의 말을 듣자 심경이 복잡해졌다. 교황의 말을 믿고 싶지만, 교황의 주관적인 체험인지라 검증이 꼭 필요하다고 생각했다.
"네, 그분의 메일이 도착하면 말씀드리겠습니다."

제6화 루치오

 며칠 뒤, 교황의 집무실에 교황과 루치오가 심각한 표정으로 마주 보고 있다. 그들 앞 탁자에는 두꺼운 복사물이 놓여있다.
 "성하의 말씀대로 인도 첸나이에 사는 톰의 메일이 정말 도착했습니다. 그의 메일은 현재의 자신을 소개하고 성하를 급하게 만나고 싶다는 내용이고, 첨부서류에는 예수 그리스도의 전 생애를 상세하게 적어 놓았습니다. 그래서 톰의 신원을 현지인을 통해 알아보고 있는데, 메일 내용처럼 신문기자이고 약력은 일치합니다."
 "루치오, 그분이 굳이 성경과 일치하지 않는 전생 내용을 보낸 이유가 뭘까요?"
 "필연적으로 검증을 거쳐야 하는 질문과정에서 있을 수 있는 의견충돌을 최소화하려고 선수를 친 것 같습니다."
 "그게 무슨 말입니까?"
 "지금의 신약은 예수 그리스도가 승천하신 뒤, 구전되거나 여러 언어로 쓰인 경전을, 삼백 년 뒤 로마에서 종교화하면서 편집한 내용입니다. 그래서 그분의 전 생애를 우리는 알 수 없기에 편지 내용을 검증할 근거가 매우 빈약합니다. 솔직히……." 루치오는 말을 멈추고 교황의 눈치를 살폈다.
 "루치오 추기경, 하고 싶은 말이 있으면, 속 시원하게 해보세요." 교황은 그의 솔직한 의견을 듣고 싶었다. 루치오의 조언이 다소 직설적이나 교황에게는 매번 도움이 되었기 때문이다.
 "외람되지만, 이번에도 돌리지 않고 말씀드리겠습니다. 예수 탄생을 시점으로 기원전과 기원후로 나눕니다. 인류사에 이렇게 큰 영향을 끼친 분은 드뭅니다. 그래서 저는 재림 예수도 우리가 받아들일 수 있는 모습으로 오실 것이라 믿습니다. 저는 그가 인도인으로 온 사실이 석연치 않습니다."
 잠시 침묵이 흐르고 교황이 대꾸했다.

"루치오, 생각해 보세요. 어쩌면 이천 년 전에도 지금과 비슷한 상황이었소. 그 당시 유대 사람들은 그들을 구해줄 예언 속의 메시아를 애타게 기다리고 있었소. 그들은 메시아가 왕이나 귀족의 가문에서 나올 것으로 믿고 있었죠. 이집트 왕의 양자였던 모세처럼 말이오. 하지만 그분은 시골 목수의 아들로 오셨소. 이슬람의 창시자인 무함마드도 부모를 일찍 여읜 양치는 목동이었다고 들었소. 잊으셨습니까? 신의 뜻은 항상 우리의 상상을 초월합니다."

그러나 루치오는 여전히 못마땅한 듯 말했다.

"어쨌든 저는, 편지에 쓰인 예수 그리스도의 생애가 진실이라고 판명이 나더라도 완전히 믿어서는 안 된다고 생각합니다. 물론 성하의 계시적인 체험을 무시해서 드리는 말씀이 아닙니다. 만약 그가 각종 고대 언어에 매우 조예가 깊고 흑마술에 능하다면, 충분히 조작이 가능한 일입니다."

"경의 말뜻을 잘 알겠소."

"또, 만약 그가 뛰어난 영매라면 영적 교신을 통해서 예수의 삶을 들었을 수도 있습니다. 저는 편지 내용을 보고, 프랑스의 성녀 '잔 다르크'가 떠올랐습니다. 성하는 샤를 7세의 처세를 눈여겨봐야 합니다."

"그게 무슨 말이오?"

"샤를 7세는 잔 다르크를 매우 잘 활용했습니다. 그는 대관식이 성공적으로 끝나자 폭주하는 잔 다르크를 버렸습니다. 톰이 일단 세상을 구하면 그 뒤에 성하의 판단대로 하시면 되는 거 아니겠습니까?"

"그런데 그가 진짜 메시아라면?" 교황은 복잡한 표정으로 되물었다.

루치오는 다소 격앙된 어조로 말했다. "그가 진짜 재림한 예수그리스도라면 상황은 매우 심각해집니다. 만약 그를 재림한 예수라고 온 세상에 선포한다면 어떤 일이 예상되십니까?"

"경의 생각은 어떻소?"

"추기경과 대주교들을 포함한 46만 명의 성직자 중에 과연 몇 명이

나 순순히 그 사실을 받아들일까요? 전 세계 13억에 달하는 신자들은 어떻고요? 그들은 성경에 나와 있듯이 그리스도가 나팔 부는 천사들을 대동하고 하늘에서 나타날 것으로 굳게 믿고 있습니다. 이천 년 전 그 모습 그 복장 그대로 말이죠. 물론, 예전의 모습을 아는 사람은 한 명도 없지만요. 어쩌면 정말 심각한 문제는 예수그리스도에 대해서 역사적으로 아는 것이 없다는 것입니다. 문제는 그뿐만이 아닙니다."

"또 뭐가 있소?"

"성하, 교황은 무엇입니까?"

"교황은 예수그리스도의 대리인이고, 초대 교황인 성 베드로의 후임이지요."

"이 사실을 근거로 한다면, 예수 재림 선포 이후에는 성하는 그에게 교황의 모든 권한을 넘겨줘야 합니다."

"그렇군요. 혹시 예수그리스도가 재림할 경우를 대비해서 마련해놓은 법령은 있소?" 교황은 은근 걱정되는 눈빛으로 물었다.

"제가 조사해본 바로는 놀랍게도 관련법이 전혀 없었습니다. 이전의 어떤 교황님도 그리스도의 재림에 대해서는 대비를 한 것이 없었습니다."

"놀랍군요. 그 어떤 교황도 자신의 통치 기간에는 그분이 오지 않으리라 생각했다니……." 교황은 내심 안심되는지 표정이 묘하게 변했다.

"이 가톨릭의 체계를 잡고 세상을 다스려온 건 우리 교황청이 아닙니까? 사실, 엄밀히 따지면 예수그리스도는 임무에 실패한 이교도입니다."

"그렇지! 그가 실패한 지상 천국을 우리가 일궈 낸 거지. 바로 우리 로마가!"

"성하, 이 시점에서 우리가 되짚어 봐야 할 점은 이천 년 전의 예수그리스도의 성향입니다. 우리는 예수를 사랑과 희생의 화신으로만 보고 있습니다. 하지만 잘 생각해 보십시오. 그분은 삼 년 동안 이스라엘 전국을 다니며 온 마을의 수많은 랍비와 전쟁과 다름없는 논쟁을 매일같이 벌였습니다. 또한, 유대의 오랜 전통을 깨는 발언을 서슴없이 해서 마을지도자들의 공분을 샀다고 합니다. 그래서 예수와 제자들을 고발하는 서신이 빌라도에게 빗발쳤다고 합니다." 루치오는 음울한 목소리로 말을 계속 이어갔다.

"또 거짓된 자들의 앞에서 '이 뱀 같은 자들아, 독사의 족속들아! 너희가 지옥의 형벌을 어떻게 피하랴?'라며 신랄한 표현을 서슴지 않으셨죠. 예루살렘 대성전에서는 양과 비둘기 같은 제물을 파는 장사꾼과 환전상에게 성전을 '강도의 소굴'로 만들었다며 소리쳤을 뿐 아니라 책상까지 엎었다고 성경에 쓰여 있습니다. 예수는 화가 나면 그 누구보다도 불같았다는 말이죠."

교황은 루치오의 독특한 논리에 서서히 빠져들고 있었다.

"만약 그가 그때의 성향 그대로 오셨다면, 지금의 교황청과 개신교를 어떻게 생각할까요? 그리고 그가 교황의 전권을 가지게 된다면 우리 성직자의 삶은 어떻게 변할까요?"

"혹시 경은 생각해 봤소?"

"물론입니다. 첫째, 먼저 그가 교황의 전권을 가지게 되면 더는 헌금이나 십일조를 못 받게 됩니다. 예수 그리스도는 평생 헌금을 받은 적이 없기 때문입니다. 그분은 맨발로 유대 곳곳을 다녔지만, 그분에게 기껏 주어진 호사는 상처 난 발에 기름을 붓는 정도였습니다. 그것조차도 제자들에게 야유의 말을 들었죠. 그 시대 예언자들의 삶은 실로 가혹했다고 볼 수 있습니다. 초기 교회가 조직화하면서 십일조라는 것이 생겼지, 그 이전에는 그런 개념이 없기 때문입니다. 아마도, 교황청과 각 교구가 가지고 있는 돈은 모두 가난한 사람들에게 나누어질 것입니다. 그렇게 되면 얼마 지나지 않아서 모든 성직자는 아주아주 소박한 생활로 돌아가야 할 겁니다. 성당 일은 무료봉사로 하며, 생계를 위해 따로 부업을 찾아야 할지도 모릅니다."

교황은 루치오의 말에 자신도 모르게 고개를 끄덕거렸다.

"그렇군요. 계속 말해보시오."

"둘째, 가톨릭 내에서는 사제가 될 수 없었던 여성의 직위가 높아질 것으로 예상합니다. 제가 조사한 바로는 톰은 신문기자이기도 하지만, 아동과 여성 인권에 앞장서 활동하고 있는 열혈 운동가이기도 합니다. 과도한 상상일 수도 있지만, 톰이라면 사제, 주교, 추기경까지도 충분히 여성으로 임명할 수도 있습니다. 그 근거로는 과거 그리스도는 여성을 차별했다는 내용은 성경 어디에도 없었습니다. 오히려 외경에는 막달라 마리아가 그리스도의 총애를 받아서 베드로가 시기했다는 내용이 있을 정도입니다."

그의 말을 조용히 경청하던 교황은 손가락을 깍지 끼며 한숨을 쉬었다.

"셋째로 성직자의 품위를 손상한 자들에 대한 강력한 파문이 예상됩니다. 지금 교황께서 골머리를 앓고 있는 부정축재나 아동 성 추문에 관련된 자들이 우선순위이겠죠. 만약, 그분이 우리의 내면까지 꿰뚫어 볼 수 있다면 얼마나 수많은 성직자가 파문될지는 알 수 없는 일입니다."

"그럴 수도 있겠군요."

교황은 고개를 끄덕이며 루치오의 능변에 감탄했다.

"성하, 그래서 저는 매우 두렵습니다."

"뭐가 그리 두렵소?"

"지금의 풍성한 음식과 향기로운 포도주 대신, 감자 몇 알과 돌덩어리 같이 마르고 딱딱한 빵을 먹게 될지도 모릅니다. 예금 잔액이 바닥이 나고 연금도 못 받게 되는 상황에서 무료봉사를 해야 한다는 것도 두렵습니다. 또 이 나이에 좁은 방에서 금식과 묵언이 일상인 단체생활을 하는 것은 생각만으로도 끔찍합니다." 루치오의 떨리는 목소리로 봐서는 결코 농담이 아닌 듯하다.

"그분의 뜻이라면 당연히 따라야지요." 교황은 말은 그렇게 했지만, 불안의 강도는 더해갔다.

"그 기간이 한두 달이면 몰라도, 평생이라면 얘기가 매우 다릅니다." 루치오는 투덜거리듯 말했다.

교황은 자연스럽게 그 모습을 머릿속에 그려보았다. 자신을 비롯한 교황청의 모든 추기경과 주교, 신부들이 공동 숙소에서 자고 일어나 공동화장실 앞에서 줄 서서 차례를 기다리는 모습이 먼저 떠올랐다. 그리고 작은 식판에 시퍼런 푸성귀와 감자 몇 알, 옥수수 수프를 받아서 공동 식당에서 식사하는 모습과 지금의 화려한 옷과 장신구 대신에 단벌의 검은색 사제복을 입고 근무지로 차도 없이 터벅터벅 걸어가는 자신의 모습도 머릿속에 그려졌다. 루치오는 몸서리를 치다가 단단히 결심한 듯 말했다.

"성하, 우선 저희가 먼저 그를 만나서 충분히 검증할 시간을 가지겠습니다. 그가 메시아라는 결론이 이르기 전에는 성하는 절대 친견을 하지 않으셨으면 합니다."

"그렇지만 한시가 급한 사안이라면 피하는 게 능사는 아닌 것 같은데 말이야." 교황은 판단이 서지 않는 듯 말끝을 흐렸다.

"저희가 먼저 만나보고 판단해도 늦지 않습니다. 뭐 수만 년 멀쩡하던 세상이 하루아침에 끝나는 것도 아니고요."

"하지만 얼마 전 화산폭발과 유성 충돌도 보지 않으셨소?"

"성하! 검증은 꼭 필요합니다!" 루치오는 단호함에 교황은 못 이기는 척 고개를 끄덕였다. "그럼 검증은 어떤 식으로 할 생각입니까?"

"도서관장인 클레멘스(Clemens) 추기경에게 일단 전생의 내용만을 보여 드릴 생각입니다. 그러면 편견 없이 역사적인 사실만으로 그를 판단하고 검증을 준비할 수 있습니다."

"나쁘지 않은 생각이오. 그분은 바티칸 도서관장과 비밀문서고 관장을 겸하고 있으니, 성경을 비롯한 외경에도 남다른 식견이 있잖소?"

"그럼, 언제 자리를 만드시겠습니까?"

"시간 끌 이유가 없소. 내가 지금 연락해 보겠소."

제7화 클레멘스

그 시간 바티칸 도서관 지하 저장고.

몇 명의 남녀 사서들이 장갑 낀 손으로 오래된 책들을 조심스럽게 넘기며 읽고 있다. 클레멘스 추기경은 그들 뒤에서 고문서 분류작업을 조용히 지켜봤다. 그는 프랑스인으로는 드물게 바티칸 도서관장과 비밀문서 관장을 겸하고 있는 추기경이다. 그는 밝은 은회색의 곱슬머리에 가는 뿔테 안경을 쓴 모습이 학자의 풍모에 가깝다. 또 그는 일흔의 나이가 무색할 정도로 무척 건강해 보인다.

사서들이 지금 분류하고 있는 자료들은 교황의 서독 방문 때 선물받은 기독교 고서적이다. 성경 내용에 어긋나는 자료나 일반인에게 공개할 수 없는 자료는 마지막 분류작업 후에 비밀문서 창고에 보관된다. 클레멘스의 호주머니에서 휴대전화가 진동했다.

"클레멘스입니다."

"추기경, 교황입니다."

"예 성하, 어쩐 일이십니까?"

클레멘스는 공식 석상에서는 교황을 자주 보지만 이렇게 개인적으로 그의 전화를 받는 것은 흔한 일이 아니라서 다소 긴장했다. '성하'라는 말에 작업 중이던 사서들도 눈을 동그랗게 뜨고 그를 올려다봤다. 그는 복도로 걸어 나오며 휴대전화에서 나오는 목소리에 온 신경을 곤두세웠다.

"다름이 아니라, 부탁할 것이 있어서 그러니, 지금 잠시 뵐 수 있을까요?"

"예 가능합니다. 어디로 찾아뵐까요?"

자신의 집무실로 오라는 교황의 말을 듣고 통화를 마친 클레멘스는 묘한 긴장감을 느꼈다. 그는 길고 가는 다리를 바삐 움직여 엘리베이터로 향했다.

그는 엘리베이터 앞에서 바티칸의 행정 수반인 주교회의 의장 세르지오(Sergius) 추기경과 마주쳤다. 민머리와 매부리코가 인상적인 그는 항상 만면에 웃음을 띠고 있다. 세르지오는 무척 반가워하며 안부를 물었다. 그리고는 어디에 가는 길이냐고도 물었다.

"성하를 만날 일이 있어서 집무실로 가는 길입니다."

"아~ 그렇습니까? 언제 제 집무실에도 방문 부탁드립니다. 경께서 커피 애호가라고 들었습니다. 마침 얼마 전 제게 매우 귀한 커피가 들어왔습니다."

"그렇습니까? 조만간 연락드리고 꼭 찾아뵙겠습니다." 클레멘스는 기뻐하며 인사를 마치고 엘리베이터에 올랐다. 클레멘스가 사라지자, 세르지오는 생각이 많은 얼굴로 그가 사라진 방향을 지켜보다가, 비서에게 무슨 일인지 알아보라고 귓속말을 했다.

교황의 집무실 앞에 도착한 클레멘스는 옷매무시를 한 번 매만진 후, 문 앞에 서 있는 젊은 비서에게 눈짓했다. 사제복을 입은 비서가 문을 열어주자, 그는 조심스럽게 안으로 들어갔다. 집무실 안에는 교황과 루치오가 원목 탁자 앞에 마주 보고 앉아있다.

교황이 일어나 두 팔을 벌려 클레멘스를 반갑게 맞았다. 클레멘스는 루치오와도 서로 뺨을 비비며 인사를 했다. 교황은 클레멘스에게 앉을 것을 권했다.

"이렇게 갑자기 만나자고해서 놀라셨죠?"

"그보다는 교황께서 직접 전화를 주셔서 조금 놀랐습니다."

교황은 탁자 위의 복사물 한 부를 클레멘스에게 건넸다. 클레멘스는 마흔 장에 가까운 복사물을 물끄러미 보았다.

"어제 제 앞으로 온 장문의 메일을 복사한 내용입니다. 메일에는 발신자의 신상이 상세하게 밝혀져 있지만, 편견 없는 판단을 위해서 일부분만 복사했습니다. 일단 이 편지를 읽어보시고 말씀을 나누었으면 합니다."

교황은 두 손의 깍지를 끼고 여느 때보다 신중한 목소리로 말했다. 차분히 호흡을 가다듬은 클레멘스는 한 페이지 정도를 읽어나가다가 교황과 궁무처장을 번갈아 보았다. 교황은 계속 쭉 읽어보라는 손동작을 했다. 클레멘스는 한 번 숨을 고르고, 페이지를 넘겼다. 루치오도 탁자 너머에서 클레멘스의 표정을 유심히 지켜보고 있었다.

잠시 뒤, 클레멘스가 다 읽은 편지를 탁자 위에 살며시 내려놓았다. 그의 얼굴에는 난감함이 떠올랐다. 교황이 먼저 입을 뗐다.

"얼마 전 내게 일종의 계시가 있었습니다. 지금 본 복사물은 자신이 재림 예수라고 하는 분이 보낸 메일 내용입니다."

교황은 마른기침이 나자, 루치오에게 대신 말해달라고 청했다. 그래서 루치오가 조심스럽게 설명을 이어갔다.

"메일에는 자신이 재림한 예수라고 밝힌 글과 현재 자신의 신상이 적혀있었고, 또 교황 성하를 알현하고 싶다는 내용이 있었습니다. 그리고 방금 추기경님이 보신 것처럼 성경에는 없는 그리스도의 일생에 관해 쓴 글이 있었습니다."

루치오의 말이 끝나자, 교황은 담담하게 말했다.

"나는 성경에 나타난 예수그리스도의 생애 말고는 딱히 아는 게 없소. 그런데 추기경은 성경에 포함되지 않은 수많은 외경과 고대 문헌들을 모두 꿰고 있다고 들었소. 그래서 지금 읽은 편지 내용에 대해 추기경의 솔직한 의견을 듣고 싶소."

클레멘스는 정신을 가다듬으려는 듯 안경을 벗고, 희고 긴 양손으로 얼굴을 살며시 비볐다. 다시 안경을 낀 클레멘스는 여전히 믿기지 않는다는 표정이다.

"성하, 기독교 문헌 역사상 가장 중요한 사건 중 그 첫 번째가 1945년에 있었습니다."

"그 사건은 나도 잘 알고 있소. 1945년에는 이집트 '나그함마디'라는 마을에서 수많은 외경과 더불어 '그노시스파' 문헌이 대량으로 발견되었죠."

"그렇습니다. 이 고대문서들의 해석을 위해 모인 다국적 기독교학자들은 깊은 충격에 빠지게 됩니다."

"어떤 이유로요?"

"그노시스파를 영지주의라고 합니다. 영지주의란 영적 세계에 대한 지식을 말하는 것입니다. 학자들이 놀란 이유는 초기 기독교인들이 지금의 성직자보다 영적인 지식과 체험이 상상을 초월할 정도로 뛰어났기 때문입니다."

"그게 극소수의 영적 체험이 아니었다는 말입니까?"

"그렇습니다. 뒤집어 말하면 초기 기독교인들은 천국과 연결되는 비밀스러운 방법을 배울 수 있었고, 지금은 그 법맥이 끊겼다는 얘기입니다."

"인정하고 싶지 않은 말씀이군요." 루치오는 불쾌한 마음을 드러냈다.

"사실 영지주의 성향의 집단은 다른 종교에서도 여러 형태로 나타났었습니다. 유대교의 카발라, 힌두교의 요가학파, 그리고 불교의 선승, 이슬람교의 수피가 그러합니다."

"그럼, 그들은 신과 소통하는 방법을 알았다는 말씀입니까?"

"그들의 시와 문헌들을 보면, 실제적인 방법은 비밀스러운 전수로 이어졌다는 걸 알 수 있습니다."

클레멘스는 더욱더 신중한 목소리로 말을 이었다.

"그리고 두 번째 사건은 1947년에 이스라엘 사해의 동굴에서 발견된 '사해문서'입니다. 문서 중에서 성경에는 전혀 언급된 적이 없던 예수와 세례요한이 속했던 유파가 나옵니다."

"에세네파 말이군요."

"사해문서가 나오기 전에 우리는 에세네파의 정체를 전혀 몰랐습니다. 하지만 사해문서에 나타난 에세네파의 생활상은 매우 놀라웠습니다. 그들은 채식만을 했고 술은 물론이고 고대 종교의식으로 유행하던 흡연조차 금했다고 합니다."

"지금의 수도원보다 엄격했군요." 교황이 말을 거들었다.

"그리고 더욱 놀라운 부분은 예수가 13세에 무역상을 따라 인도로 유학을 갔다는 내용입니다. 그는 인도에서 힌두교, 자이나교, 불교 등 종교의 진수를 모두 통달한 뒤 귀향했다고 합니다.”

“저는 여전히 성경 외에는 믿을 수 없습니다.” 루치오가 단호하게 말했다.

“편지 내용에 나오는 고대인도의 풍습과 종교적 세부사항은, 교황께서 허락해 주신다면 인도 출신 수석연구원의 조언을 구하고 싶습니다.”

“그는 어떤 사람입니까?”

“그 연구원은 이사벨 올드만(Isabel Oldman)이라는 여성입니다. 그녀는 인도 스리나가르 출신인데 고대 언어에 능통해서, 이제껏 해석이 힘들었던 인도와 중동 고대문서의 번역에 크게 기여했습니다.”

“그녀는 수녀입니까?” 루치오는 그녀의 종교관이 궁금했다.

“아닙니다. 하지만 북인도인으로서는 보기 드물게 유대인의 피가 섞인 혼혈입니다. 그녀의 삼촌은 조나단 올드만(Jonadan Oldman) 이라는 역사학자이자 베스트셀러 작가입니다.”

“그 작가는 어떤 분이신가요?”

“그는 인도 고대 문헌과 기록에 남아있는 예수의 발자취를 모은 ‘인도에서의 예수’라는 책을 출간한 학자로, 기독교 수행자이기도 합니다. 제가 그 책을 읽어보고 인용된 고대문서 중에 놀라운 내용이 많아서 그를 직접 찾아갔었습니다. 그를 만나 대화 중에 고대문서의 해독을 도운 일등공신이 조카 ‘이사벨’이라는 걸 알게 되었습니다. 그리하여 이사벨을 설득하여 우리 도서관의 수석연구원으로 채용했습니다.”

“기독교 수행자라고요?”

“그렇습니다. 그의 말에 의하면 이천 년 전 예수로 여겨지는 이스라엘 성인 이사(Isa)가 스리나가르에 정착했다고 합니다. 그리고 그를 따라온 유대인들도 도시 외곽에 정착했다고 합니다. 그들은 오랫동안 예수의 가르침과 유대풍습을 지키며 살았다고 합니다. 백 년 전까지만 해도 기독교 수행자들이 꽤 많았었는데, 분쟁이 심해지자 그들은 산속으로 다 숨어버렸다고 합니다. 조나단과 이사벨도 그 마을 출신입니다."

"놀랍군요. 그럼, 지금 그녀를 볼 수 있소?" 교황은 혼란스러운 마음을 다잡으며 말했다.

"네 지금 불러보겠습니다."

제8화 이사벨

잠시 뒤, 교황 집무실에 이사벨이 걸어 들어왔다. 진청색 면바지에 회색 블라우스를 입은 그녀는 160cm 키에 상당히 빠른 걸음의 소유자였다. 윤기나는 진갈색 머리칼을 단정하게 묶은 그녀의 얼굴에는 강인함과 지적인 느낌이 묘하게 공존했다. 연한 초콜릿 색 피부. 유난히 반짝이는 큰 눈. 길고 오뚝하게 솟은 코와 꼭 다문 입이 조화로운 모습이다. 이사벨은 모두에게 정중하게 인사를 하고 클레멘스 옆에 앉았다. 클레멘스는 그녀에게 먼저 복사본을 읽어 볼 것을 권했다. 이사벨은 복사본을 들고 첫 줄부터 천천히 읽어나갔다. 그녀는 놀라운 집중력으로 단숨에 다 읽었다.

"보시다시피 이 편지는 자신이 재림예수라고 주장하는 분이 보낸 내용입니다. 이 중에서 인도와 관련된 부분에 조언을 얻고자 이사벨을 모셨습니다. 그러니 부담 갖지 말고 솔직하게 의견을 말해주세요." 교황이 미소를 지으며 그녀의 긴장을 풀어주려고 말했다.

"네, 그럼 제가 아는 대로 말씀드리겠습니다. 인도에서의 행적과 나오는 인물들의 이름, 각 종교의 수행방식 등은 크게 틀린 게 없어 보입니다. 그러나 이 내용은 이미 인도에서는 익히 알려진 사실에 상세함이 더해졌다는 이상의 의미는 없습니다."

"이사벨, 당신은 이 글을 쓴 사람이 어떤 사람 같습니까?" 루치오가 물었다.

"이분은 남인도에 사는 삼십 대 성인 남자라고 추측합니다." 이사벨의 말에 교황이 놀라워하며 그 이유를 물었다.

"이 정도로 인도의 고대풍습을 잘 알고 있는 기독교인이라면 당연히 인도인이고, 인도 기독교인의 대부분이 남인도에 밀집되어 있기 때문이죠."

"만약 그분이 재림한 그리스도일 가능성은, 몇 퍼센트로 생각하시죠?"

"이 글로만 봤을 때는, 생애의 큰 맥락은 제가 이미 아는 내용이지만, 그때의 풍습과 주변인들의 이름을 명확하게 서술한 점을 봐서는 30% 정도입니다. 그러나 이 글을 쓴 인물을 직접 만나 대화할 수 있다면 더 확실하게 알 수 있습니다."

"교황님, 저는 이사벨을 그분을 모셔오는 안내인으로 추천하고 싶습니다." 루치오가 이사벨의 태도가 맘에 들었는지 큰 주저 없이 그녀를 추천했다. 이에 교황은 잠시 생각에 잠겼다가 이사벨을 바라봤다.

"루치오 추기경의 말씀대로 이사벨이 그 역할을 맡아줬으면 좋겠습니다. 그리고 최대한 예의를 갖추어서 그분을 모셔오기를 부탁합니다."

교황의 부탁에 이사벨은 잠시 생각에 잠겼다가 입을 열었다. "성하의 분부를 따르겠습니다."

"감사합니다. 저도 그분을 뵙고 싶지만, 아일랜드 순방 일정이 잡혀 있어서 아쉽습니다. 루치오 추기경은 그분의 나머지 메일 내용도 두 분에게 보여 드리기 바랍니다." 교황은 안심이 되는 듯 미소를 띠었다.

며칠 뒤 저녁, 첸나이의 안나 국제공항 로비에 검은색 정장을 입은 이사벨이 톰과 마크를 기다리고 있다. 그녀 뒤에는 바티칸에서 같이 온 운전사 두 명이 버티고 서 있다. 이사벨은 자료 사진 속 인물과 비슷하게 생긴 사람이 공항 입구에 나타난 걸 보았다. 톰은 잘 다려진 흰 와이셔츠에, 회색 면바지와 진청색 스니커즈를 신고 있었다. 그의 옆에는 근육질의 마크가 검은색 양복에 선글라스를 끼고 주위를 두리번거리며 걸어오고 있다. 이사벨은 그들이 톰과 마크라는 확신이 들자, 그들 앞으로 다가갔다.

"혹시 '톰 아니쉬크'씨 입니까?"

"네 그렇습니다. 이쪽은 동행한다고 말씀드린 '마크'입니다."

"두 분 뵙게 돼서 영광입니다. 저는 여러분의 안내를 맡은 수석연구원 '이사벨'입니다." 톰은 이사벨의 눈을 바라보다가 그녀가 막달라 마리아의 현신이라는 걸 알게 되었다.

막달라 마리아. 그가 그녀를 처음 본 건 이천 년 전 '티베리아스' 강연 때였다. 티베리아스는 막달라에서 남쪽으로 5km 정도 떨어진 큰 도시였다. 그가 시장 입구에서 강연할 때 마리아는 존경으로 가득 찬 눈빛으로 연신 고개를 끄덕이던 열정적인 청취자였다. 그의 강연이 끝나고 그녀가 다가와 기쁨의 눈물을 흘리며 말했었다. "제가 그토록 찾던 주님을 진짜 만나게 될 줄을 몰랐습니다." 그리고 그녀는 가장 아끼는 제자가 되어 그의 곁을 오래도록 지켰다. 막달라 마리아는 성경에서처럼 간음하다 잡혀 온 여인이 아니었다. 사해문서에 적힌 것처럼 베드로가 시기할 정도로 총명하고 믿음이 강했던 제자였다.

톰이 과거 기억에 빠져 이사벨을 복잡한 심경으로 길게 바라보자, 이사벨은 한 손으로 귀 옆의 머리칼을 넘기며 생각했다.

'내가 어딜 가도 빠지는 미모는 아니지. 그런데 이 남자는 너무 빠진 눈빛인데? 금방 사랑에 빠지는 스타일인가?'

톰을 지켜보던 마크가 그의 등을 툭 치며 말했다. "너답지 않게 왜 그렇게 사람을 빤히 쳐다봐? 실례잖아."

"아! 미안합니다. 내가 예전에 알던 분과 너무 닮아서요."

톰이 정신을 겨우 추스르며 사과를 하자, 이사벨은 별일 아니라는 듯 정중하고 상냥하게 동행한 직원들을 소개했다. "여기 두 분이 안전한 여행을 도와주실 겁니다."

이사벨 뒤에 서 있던 건장한 이탈리아 운전사 둘이 가볍게 눈인사를 했다. 톰은 그들이 이천 년 전 자신을 고문하고 십자가에 직접 매달았던 로마 병사였다는 사실이 기억났다. 그들이 자신을 조롱하고 비웃던 얼굴이 현재의 무덤덤한 얼굴과 겹쳐 보이며 톰을 혼란스럽게 했다. 톰은 그들에게 말할 수 없는 분노가 치밀었지만, 마음을 가라앉히며 그들과 눈인사를 했다.

한편 마크는 톰의 기쁨과 슬픔, 분노를 오가는 미묘한 표정 변화를 옆에서 지켜보자니 착잡하기 그지없다. 그는 톰이 얼마 전 자신을 대하는 태도도 이상하던 터라, 더욱 걱정됐다.

"두 분 여행일정은, 에어 인디아 비행기로 로마 레오나르도 다 빈치 국제공항에 도착한 뒤, 그곳에 주차해 둔 두 대의 저희 차로 바티칸 시국까지 모실 예정입니다. 그리고 가시는 동안 톰에게 순조로운 회의에 필요한 질문 몇 가지를 드릴 겁니다. 그래도 되겠습니까?" 이사벨의 말에 톰은 이미 예견했다는 듯 고개를 끄덕였다.

그들은 탑승절차를 마치고 로마행 비행기에 올라 각자에게 배정된 비즈니스석에 앉았다. 이사벨은 톰의 옆에 자리했다. 그리고 마크와 두 직원이 그 뒤로 자리 잡았다. 비행기가 활주로에서 서서히 속도를 높이다가 공항을 뒤로하고 가볍게 날아올랐다. 갑작스러운 상승에 모두가 조금씩은 긴장하는 눈치지만, 유독 덩치 큰 마크가 유난히 땀을 흘리며 어쩔 줄을 몰라 했다. 급상승한 비행기가 수평비행을 하자, 마크는 팔걸이를 힘껏 쥐고 있던 손을 풀었다.

비행기가 안정적인 궤도에 들어서자, 이사벨이 톰에게 몸을 돌려 그를 바라봤다. 톰은 사전조사 자료에서 봤던 사진과는 느낌이 달랐다. 사진상으로는 지적인 이미지가 두드러졌는데, 지금 눈앞에 있는 톰은 고결한 느낌까지 더해졌다. 이사벨은 바티칸에 있으면서 여러 나라의 성직자들을 봐왔지만, 이토록 강력한 느낌은 처음이다. 하지만 이사벨은 자신의 주관적인 평가는 접어두고 냉정함을 유지하려고 다짐했다.

"톰, 회의준비를 위한 간단한 질문들을 드려도 되겠습니까?" 이사벨의 질문에 톰은 고개를 돌려 그녀를 봤다. 톰의 눈빛은 어딘지 슬퍼 보였다.

"질문하세요. 그런데 먼저 이사벨은 어디 출신인지 물어봐도 될까요?" 톰은 이사벨 주변에 다른 제자들이 있을지도 모른다는 생각이다.

"저는 '카슈미르'주 '스리나가르' 출신입니다."

"그래요? 혹시 '인도에서의 예수'를 쓴 '조나단 올드만'이란 작가를 잘 아십니까?" 이사벨이 스리나가르 출신이라는 말에 그는 역사학자인 이 작가를 먼저 떠올렸다.

"네, 압니다. 그건 왜 물으시죠?"

"예수의 흔적을 가장 잘 복원한 책을 쓴 작가님이 어떤 분인지 궁금해서요."

"사실 '조나단 올드만'은 제 삼촌입니다. 혹시 그 사실을 알고 말씀하신 건가요?" 이사벨이 그의 조카라는 말에 톰은 직감적으로 그를 꼭 만나야겠다고 생각했다.

"아닙니다. 그냥 개인적으로 궁금했었습니다. 하지만 무척 놀랍군요. 당신이 그의 조카라니."

"삼촌은 예수로 추정되는 이스라엘 성인의 흔적을 찾아 인도 전역, 파키스탄, 중동까지 다니셨던 분입니다. 뭐랄까? 마치 그 책을 엮는 것이 일생의 사명인 양 평생을 바쳤다고 할 수 있습니다. 성격도 조용하고 무척 낯을 가리는 분이 그런 열정과 끈기가 있다는 사실이 신기했었습니다."

"그렇군요. 그곳에 '로자발'이란 곳이 있죠?"

"네, 저의 집 근처입니다."

"그럼, '로자발'이 '예수의 무덤'이란 말을 어떻게 생각하세요?" 톰은 이사벨의 생각이 많이 궁금했다.

"로자발은 스리나가르 고대문서에 나오는 이스라엘 성인 '이사(Isa)'의 무덤인데 저는 그분이 예수그리스도라는 의견에는 회의적입니다."

"그렇군요." 톰은 이사벨의 단호한 의견에 씁쓸한 표정으로 고개를 끄덕였다.

"톰, 질문을 시작해도 되겠습니까? 전생의 기억은 어떤 형태로 기억하세요?" 제자였던 그녀가 지금은 바티칸 직원이 되어 그를 경계의 눈빛으로 심문하고 있다니 세상이 참 웃긴다는 생각이 들었다. 톰은 복잡한 심경을 누르며, 그녀의 질문에 대답했다.

"이사벨도 어린 시절의 기억은 마치 오래전에 본 영화처럼 큰 줄거리와 인상적인 장면만 생각나고 나머지는 기억이 흐릿할 겁니다. 맞습니까?"

"네, 비슷합니다."

"저 역시 그렇지만, 꼭 알아야 하는 기억은 명상을 통해 마치 영화를 돌려보듯 일부분을 다시 볼 수 있습니다."

"그렇군요. 과거 생을 다시 기억해 냈을 때, 현재 당신의 성격과 가치관에는 어느 정도 영향을 끼치게 됩니까?"

"큰 변화는 없습니다. 현재의 성격이 형성되는데, 큰 영향을 끼친 사건들을 알 수 있다는 점이 흥미로울 뿐입니다."

"그럼 앞으로 다가올 종말의 위험들은 어떻게 간파하는가요?"

"시간상으로 가장 당면한 위험만 명상 중 영화 예고편 파일처럼 단편적으로 알게 됩니다. 그 위험이 해결되지 않으면 현실로 나타나고, 그 문제가 해결되면 또 다른 위험이 인식되겠죠."

"그럼 인류의 미래가 변할 수 있는 건가요?"

"현재 인류의 미래는 종말이라는 한 방향으로 흘러가고 있고, 현재로서는 내가 유일한 변수입니다. 그런데, 이사벨이 도서관 수석연구원이라기에, 제 과거 생에 관련된 역사적 질문이 많을 줄 알았는데 질문내용이 의외군요."

"사실 그리스도의 생애에 관련된 질문들이 많이 준비되어 있지만, 더 중요하게 여기는 점은 톰이 진정 세상을 구할 능력이 있을지입니다."

"아쉽지만 나는 단순히 인류를 구하러 온 게 아닙니다."

"구원이 목적이 아니면 무엇 때문이죠?"

"인류가 각성하게끔 도와주려고 왔습니다."

"각성?"

"지금의 인류는 마치 부모에게 물려받은 집을 엉망으로 만들고, 그것도 모자라 자기 방에 불까지 지르는 철없는 아이들 같습니다. 그들이 얼마나 위험에 처했는지를 알려주고, 자신들이 싼 똥을 치우게 해야 합니다."

"그들이 쉽게 변할까요?"

"변하지 않으면 미래는 없습니다." 이사벨은 톰의 어두워진 표정에서 묘하게 진심이 느껴졌다. 그녀는 톰이 과대망상증에 걸린 사람일 수는 있으나, 적어도 사기꾼은 아니라는 생각이 들었다.

"그럼 이제부터 본격적으로 전생에 관련된 질문을 드려볼까요?"

"네, 질문하세요." 보름달이 밝게 빛나는 밤하늘을 나는 비행기 안에서 이사벨과 톰의 대화는 길게 이어졌다.

제9화 말라키

레오나르도 다빈치 공항에 도착한 톰 일행은 입국 심사를 받고 주차장으로 나왔다. 이사벨과 함께 왔던 직원 둘이 바티칸 소속의 승용차들을 운전하기로 했다. 앞차에는 톰과 마크가 같이 탔고, 뒤차에는 이사벨이 탔다. 이사벨은 차에 타자마자 휴대전화를 꺼내 클레멘스에게 전화했다.

"안녕하세요. 추기경님. 지금 막 도착해서 차로 갈아탔습니다."

"어때? 이사벨. 톰에게서 역사적 오류를 찾아냈는가?"

"아직 찾아내지 못했습니다."

"우리가 알고 있는 성경 인물에 대해서도 구체적으로 설명할 수 있던가?"

"베드로를 비롯한 사도들에 대해서 자세히 물어봤는데, 우리가 성경으로 알던 내용과는 다르지만, 묘사의 상세함은 여전했습니다."

"그럼 예수 시절의 고대 언어도 사용하던가?"

"제가 보여준 사해문서와 인도 고대문서도 쉽게 읽어냈습니다."

"맙소사! 그게 가능하다는 말이지?"

"네, 그리고 방금 메일로 톰과의 대화 파일을 보냈습니다."

"자네가 보기엔 톰이 정말 재림한 그분인 것 같나?"

"추기경님들의 판단하실 일이지만, 저는 아니라는 증거는 아직 찾지 못했습니다."

"톰은 지금 교황님을 만나러 오는 줄 알고 있나?"

"저는 확실히 알 수 없다고 대답했습니다."

"톰에게 바티칸에 도착하는 즉시, 검증을 위한 회의를 할 예정이라고 말해주게. 여독을 풀 시간을 주지 않는 점 잘 이해시켜주고."

"저도 회의에 참석합니까?"

"아니, 루치오 추기경과 나만 참석할 거라네. 회의 때, 자네는 마크에게서 톰에 대해 좀 더 알아보게."

"네, 알겠습니다."

"자네가 보낸 파일은 잘 활용하겠네," 클레멘스는 이사벨에게 고마움의 인사를 잊지 않았다.

궁무처장 집무실은 교황의 집무실보다는 크기가 조금 작지만, 붉은색의 벽면에 황금빛 문양이 가득하다. 그와 더불어 유럽 왕실에서나 볼 수 있는 골동품 책상과 소파 세트가 화려함을 더한다.

루치오는 책상에 앉아 인도교구에서 보내온 톰과 마크에 관련된 파일을 뒤적이고 있다. 노크 소리와 함께 클레멘스가 질문서류를 들고 들어왔다. 루치오는 그에게 앉으라고 정중하게 손짓했다. 클레멘스는 탁자 위에 서류를 내려놓고 소파에 앉았다.

"이사벨에게서 공항에 도착했다는 전화가 있었습니다. 성하는 예정대로 아일랜드 순방을 가셨습니까?"

"네, 이사벨에게서 별다른 얘기는 없었습니까?"

"그녀는 아직은 중립적인 입장이라고 하더군요."

"그래요? 그 말은 이사벨이 그에게서 허점을 못 찾았다는 말이 되는데……." 루치오는 충혈된 눈을 이리저리 굴리다가 클레멘스에게 낮게 속삭였다.

"그럼 클레멘스 추기경님께 미리 부탁 좀 드려도 될까요?"

"말씀하시죠!"

"오늘 저는 톰의 심리를 압박하기 위해 다소 악의적으로 보일 수 있는 고압적인 자세를 취할 겁니다. 인간은 심리적으로 압박을 받으면 감정적으로 변해 실수하게 되어있죠. 난 그 점을 이용할 생각입니다. 그러니, 내 행동이 과하더라도 이해해주시기 부탁합니다."

"무슨 뜻인지 잘 알겠습니다. 저도 대답하기 힘든 난제들로 질문을 준비해 왔습니다. 톰이 메시아가 아니라면 이 질문들을 피해 가기 힘들 겁니다. 그런데 추기경님, 혹시 11세기에 살았던 '말라키 오모게

어'(Malachy O'Morgair) 주교의 예언에 대해서 들어본 적 있습니까?"

루치오는 고개를 갸웃거렸다.

"글쎄요. 이름은 들어본 적 있는 것 같기는 한데 누구죠?"

"그러시군요. 그는 11세기 때 아일랜드 아머의 대주교였고, 신비주의 수행을 했던 수도자였다고 합니다. 그분은 역대 교황들에 대한 놀라운 예언으로 유명합니다."

"도대체 무슨 예언을 하였기에 그러십니까?" 루치오는 소파에서 몸을 당겨 앉으며 물었다.

"말라키 주교가 1139년 성지 순례 중 바티칸을 방문했을 때, 자신이 명상 중에 본 미래의 교황들에 대한 자료를 교황청에 넘겨주었다고 합니다. 주교는 글을 통해서 자신의 사후부터 현재까지 112명의 교황의 계보에 대해서 예언을 했습니다. 그는 짧은 라틴어로 교황의 특징을 설명했는데, 그 말들이 이때까지 거의 다 맞았다는 것입니다."

"그래서 성하에 대해서는 어떤 예언을 했습니까?"

"성하에 대해서는 '로마인 베드로'라는 예언을 하셨죠."

"로마인 베드로라……. 그분의 양친이 이탈리아 혈통이지만, '베드로'라는 이름은 성하의 신상과 어떤 공통점도 찾기 힘들군요. 이 예언은 반만 맞은 것 같습니다."

"그런데 그 예언과 함께 심각한 예언이 더 있습니다."

"그게 무엇입니까?"

"성하가 마지막 교황이 될 것이라는 내용입니다. 책의 내용을 보면 마지막 박해의 때에 로마 교회는 '로마인 베드로'가 통치하고 있을 것인데, 그는 자기 양의 무리를 많은 환난 가운데서 먹이게 될 것이다. 그리고 그 후에는 7개의 언덕으로 된 도시 즉, 로마가 파괴될 것이고, 끔찍한 심판이 백성에게 내려질 것이라고 적혀있습니다."

"그럼, 정말 심판의 날이 머지않았다는 거요?"

"속단하기는 힘들지만, 지금 나타난 분이 메시아라면, 우리 인류가 절벽 앞에 서 있는 것일 수도 있습니다."

"글쎄요. 지켜봅시다." 루치오는 팔짱을 끼며 심각한 표정을 지었다.

제10화 검증의 날

톰과 마크가 탄 차가 바티칸 시국에 가까워지자, 마크가 창문을 내렸다. 창밖으로는 그들이 평생 보지 못했던 웅장하고 화려한 교황청 건물들이 눈에 들어왔다.

"건축물이 거룩하다고 느끼기는 난생처음이야." 마크가 창밖에 고개를 내밀며 감탄했다.

"그렇게 생각했다면 건축주의 의도가 적중한 거야." 톰은 담담한 목소리로 대꾸했다.

"그게 무슨 말이야?" 마크는 여전히 시선을 바깥에 둔 채 건성으로 물었다.

"교황청이 기독교의 권위와 지상 천국을 표현한 건축물을 원했던 거지. 지금의 바티칸 시국은 그들의 바람대로 경외심을 가지게 하는 건축물로 이뤄져 있게 되었고."

"저기 봐!"

"무슨 관광객이 저렇게 많아?" 피에트로 광장에는 안내자의 깃발을 따라 여러 인종의 순례객들이 바쁘게 움직이고 있었다.

"이 웅장함도 곧 역사를 다 하겠군." 톰은 착잡한 표정으로 혼자 중얼거렸다.

그들을 실은 차는 중세의 화려한 복장을 한 호위병이 지키는 출입문을 지나 교황의 집무실이 있는 건물 앞에 세워졌다. 근육 덩어리인 마크가 먼저 내려서 주위를 둘러보고 심호흡을 했다. 톰이 차에서 내려서 몸이 뻐근한지 기지개를 크게 켰다. 뒤이어 뒤차에서 내린 이사벨이 그들을 엘리베이터 앞으로 안내했다. 엘리베이터 안도 황금색 바탕에 화려하고 성스러운 문양으로 치장되어있다.

일행은 비서가 문 앞을 지키고 있는 궁무처장 집무실 앞에 섰다. 신부복을 입고 있는 비서들이 문을 열자, 이사벨이 앞서 걸으며 톰과 마크를 안내했다. 루치오가 얼굴에 묘한 웃음을 흘리며 그들을 맞았고, 클레멘스는 그들과 인사 후에 이사벨에게 수고했다고 격려했다. 루치오는 모두에게 자리하기를 권했다. 그리하여 그들 모두는 화려한 탁자를 가운데 두고 둘러앉았다.

"톰, 당신이 보낸 편지를 읽고 꼭 직접 만나서 대화를 나누고 싶었습니다. 오늘 교황 성하는 예정된 아일랜드 순방 일정이 있어서 바티칸에 계시지 않습니다."

루치오는 오늘 톰이 만날 사람이 교황이 아니라는 것을 미리 못 박았다. 톰은 대충 예상했다는 듯이 고개를 끄덕였다.

"저희는 당신이 보낸 메일을 보고, 짧은 시간이지만 심도 있게 논의를 했었습니다. 그래서 얻은 결론은 저와 클레멘스 추기경이 톰을 인정할 수 있을 때, 교황님과의 자리를 만들기로 했습니다.

"무슨 말씀인지 잘 알겠습니다." 톰은 이 사실이 크게 놀랍지 않다는 듯이 대답했다.

"또, 우리는 질의응답을 통해서 당신의 실체를 알아 가야 하는 상황입니다. 생각보다 긴 시간이 걸릴 수 있으니, 마크는 이사벨과 함께 바티칸 시국을 구경하는 건 어떠실지?"

"제 의견을 말씀드려도 되겠습니까? 추기경님." 톰이 부드러운 어조로 말했다.

"네 말씀하시죠."

"저는 이사벨과 마크가 참관인 자격으로 같은 공간에 있었으면 합니다."

의외의 제의에 클레멘스가 루치오를 쳐다보자, 루치오는 잠시 망설이다가 고개를 끄덕였다.

"그렇다면 두 분은 창가 자리에서 참관하면 어떨까요?" 클레멘스가 마지못해 말했다.

이사벨은 마크의 승낙 의사를 눈으로 확인하고 대답했다. "네, 알겠습니다."

"추기경님들의 배려 감사합니다." 톰은 이사벨과 마크에게 미소를 보였다. 이사벨은 먼저 일어나 마크를 창가로 안내했다.

자리가 정리되자 루치오가 위압적인 태도로 먼저 입을 뗐다.

"톰, 질문에 솔직하고 간단하게 답변해 주십시오. 나는 성경에서 그리스도가 다시 오실 때 수많은 천사와 함께 공중에서 나타난다고 보았는데, 당신은 이렇게 평범하게 나타나셨네요?"

"그 내용은 예수 자신이 한 약속이 아니라, 제자의 체험에서 나온 말이라고 알고 있습니다."

"그럼 왜 인도인으로 재림한 것인지에 대해서도 설명을 해주시겠소?"

"이천 년 전에 그분은 로마식민지인 이스라엘의 이름 없는 시골 청년에 지나지 않았죠. 그는 약자의 삶을 겪으며 인간의 고통을 이해했습니다. 저도 인도인으로 태어나 삶을 통해서 많은 것을 배웠습니다."

"언제부터 당신이 재림한 예수라고 생각했습니까?" 루치오는 톰의 심리를 압박하듯 더욱 딱딱한 말투로 질문했다. 그의 목소리에서는 심문하는 어투가 역력했다. 톰의 표정은 변화가 없었으나, 지켜보던 마크는 불쾌한 빛이 뚜렷했다.

"가브리엘 대천사가 나를 '천국의 열쇠' 전달자인 데브 무니에게 가게 했습니다. 천국의 열쇠를 얻은 저는 전생의 기억을 되살렸으며, 그 기억 속의 나는 지금 '메시아'라고 불리는 외로운 예언자였습니다.

"당신은 왜 전생의 자신을 외로운 예언자라고 지칭합니까?"

"성경에는 몇 가지 사례만 있지만, 나는 삼 년 동안 쉬지 않고 유대 곳곳의 마을들을 맨발로 찾아다니며 종교토론을 벌였습니다. 내가 가는 유대의 마을마다 매일같이 의심 많은 랍비와 극한의 언쟁을 벌였고, 마을에서 돌팔매질을 당하고 쫓겨나기 일쑤였습니다. 나의 추종자들은 그 믿음이 살얼음보다 얕았으며, 기득권세력은 자신들에게 해가될까 봐 첩자들을 보내 나를 제거할 명분을 찾았습니다. '여우도 굴이 있고 공중의 새도 보금자리가 있으나 나는 머리 둘 곳이 없다'라는 말은 나의 자조 섞인 말이었습니다." 톰이 회상하듯 말을 하는 동안, 이사벨은 그의 옆모습을 보며 생각이 많아졌다. 마크는 톰의 쓸쓸한 표정을 보고 울컥하는 마음이 올라왔다.

"그렇습니까? 그럼 천국의 열쇠는 무엇입니까?" 루치오는 의심의 끈을 늦추지 않고 질문을 이어갔다.

"천국의 열쇠는 인간이 천국에 가는 방법이며, 그 방법을 통해 의식이 확장되고 능력이 무궁무진해지는 수행법입니다. 성경에 언급된 베드로의 열쇠가 바로 그리스도가 베드로에게 전수했던 그 수행법입니다."

"그럼 그 수행법을 지금 우리에게도 전수해 줄 수 있습니까?"

"안타깝지만 영적으로 준비된 자에게만 전수 가능합니다."

"그럼 우리는 자격이 안 된다는 말인가?" 루치오는 선동을 하듯 모두를 돌아보며 크게 소리쳤다.

"그렇습니다. 심지어 달리기와 수영을 하는데도 준비운동이 필요한데, 영혼이 거듭나는 입문은 더욱 준비과정이 엄격하고 철저해야 합니다."

"어떤 준비과정이 필요하다는 말입니까?"

"살아온 일생의 잘못을 진정으로 참회하고, 몸과 마음과 생각을 청정하게 유지하며 일정 기간을 준비해야 합니다."

"그렇습니까? 그럼 그때 이후로 지금까지 한 번도 자신이 재림예수가 아닐 수 있다는 생각은 해 본 적이 없습니까?"

"그렇습니다."

"혹시 잠들었을 때나 명상 때 머릿속에서 누군가가 당신이 예수라고 속삭이지는 않던가요? 자신 안에 다른 존재가 느껴지지는 않나요?" 루치오는 톰에게 고개를 내밀고 살벌한 어조로 말했다.

"제가 미쳤거나, 빙의 되었다고 생각하시는군요." 톰은 루치오의 의도를 꿰뚫은 듯 말했다.

"꼭 그런 것은 아니지만, 잘못된 수행을 하다가 다른 영혼을 받아들이는 경우가 종종 있습니다." 루치오는 물러서지 않고 집요하게 파고들었다.

"다행히도 저는 그런 적은 없었습니다."

"흠……. 그럼, 마약은 한 적이 있습니까?"

"한 번도 없습니다."

"복용하는 약물은 있습니까?"

"어려서부터 매우 건강해서 병원 갈 일도 거의 없었고, 복용하는 약물도 없습니다. 그리고 아마도 제 신상을 미리 조사했을 터인데, 질문이 지나치게 의도적이어서 추기경님이 저를 크게 실망하게 하는군요. 저를 감정적으로 흔들어서 허점을 잡으려고 하신다면 별 수확이 없을 겁니다."

"그럼, 지금 당신이 재림한 예수라는 것을 내가 믿을 수 있게 이해시켜보세요." 루치오의 정곡을 찌르는 질문에 모두가 귀를 쫑긋 세웠다.

"어떻게요?"

"예수는 치유와 신통의 성자였습니다. 그는 맹인을 눈뜨게 하고, 앉은뱅이를 걷게 했습니다. 또, 강물 위를 걸을 수도 있었고, 다섯 개의 떡과 두 마리의 물고기로 수천 명을 먹였습니다. 하물며 죽은 사람도 살려냈습니다. 하지만 우리는 가장 간단한 걸 주문하겠습니다. 이 앞에 있는 컵의 물을 포도주로 만들어 보시죠?"

톰은 데브 무니와의 일이 생각나 얼굴에 미소가 번졌다. 마크는 톰의 속을 알 수 없는 표정에 얼굴빛이 어두워졌다. 톰은 앞의 투명한 유리컵을 당겨 집게손가락을 담그고 천천히 저었다. 그러자 놀랍게도 집게손가락 끝에서부터 물빛이 진홍색으로 변했다. 루치오와 클레멘스의 눈동자가 커지며, 낮은 탄성이 흘러나왔다. 이사벨과 마크는 홀린 듯 자리에서 일어나 톰에게 다가와 컵을 유심히 쳐다봤다.

톰은 컵을 들어 보이고 옆으로 치우며 말했다. "손가락을 담갔으니 굳이 맛을 볼 필요는 없겠죠. 치유행위는 이제 유명한 목사나 전도사들도 많이 한다고 들었습니다. 강물 위를 걷는 것은 도마뱀도 가능하죠. 바구니 속에서 토끼나, 비둘기를 계속 꺼내는 마술은 마술사들이 하는 가장 쉬운 마술입니다. 추기경님께서 진정 원한다면 바로 보여드릴 수 있습니다. 내가 만약에 추기경님이 말씀한 것들이 모두 가능하다면, 그리스도라고 믿으시겠습니까?"

루치오는 쉽게 답변을 못 하고 고민스러운 표정을 지었다. 그러자 톰은 뭔가 생각났는지 말을 이었다.

"제가 아마 치유행위를 하고 다닌다면 의사협회에서 바로 저를 고소할 것입니다. 아무리 신의 아들이라고 해도 자기의 밥줄을 끊는 것은 용서하지 않을 테니까요."

톰의 재치 있는 대답에 클레멘스는 웃었지만, 루치오는 더욱더 굳은 표정으로 되물었다.

"그럼, 치유행위는 어떻게 가능합니까?"

"사람의 몸은 사용하기에 따라서 엄청난 능력이 있습니다. 쉽게 말하면 난로 옆에 있으면 따뜻해지듯이 치유의 에너지가 있는 사람 옆에 있으면 치유의 혜택을 입는 것이죠."

제11화 진실의 시간

　루치오 추기경이 자신의 질문이 일부 끝났다고 클레멘스에게 눈짓을 보내자, 클레멘스는 기독교인이 난제로 생각하는 질문을 먼저 던졌다.
　"당신은 신이 인간을 창조하였다고 생각합니까? 아니면 작은 세포에서 진화되어서 인간이 되었다고 생각합니까?"
　"흔히 말하는 창조론과 진화론을 말씀하시는 거죠? 단순하게 말씀드리자면 이 세상의 생물체는 창조된 뒤 진화와 퇴화를 거듭하고 있습니다."
　"좀 더 설명을 부탁해도 될까요?"
　"처음 시작은 창조에서 시작됩니다. 그래서 여러분과 모든 존재는 신이 디자인한 작품입니다. 그 생물체들은 환경에 맞추어 자신의 몸을 진화시키고 필요 없는 부분은 퇴화시키며 살아갑니다."
　"그럼, 원숭이는 아무리 진화해도 인간이 될 수 없는 것입니까?"
　"아니요. 진화한 원숭이의 영혼은 죽음과 탄생 즉 환생을 통해 인간으로 태어나는 예도 있습니다. 다른 동물도 수많은 윤회를 통해 인간으로 태어나는 것이 가능합니다."
　"그럼 이제 주님의 주변 인물에 관해 물어보겠습니다. 그들에 대해서 저희가 이해하기 쉽게 간단하게 답변해 주세요." 클레멘스는 이사벨의 녹취를 통해 이미 예수 시절 주변 인물에 대해 들었다. 그런 그가 톰에게 재차 묻는 이유는 그의 답변이 얼마나 일관성을 가지는지 알고 싶어서다.
　"네 그러세요." 톰은 정중하게 말하며 이사벨을 쳐다봤다. 이사벨은 톰과 눈이 마주치자 시선을 피했다.
　"가장 수제자로 알려진 베드로에 대해 말씀해주세요."
　"베드로는 제자 중 가장 영혼이 맑고 내 가르침을 잘 이해하는 사람이었습니다. 성경에는 다르게 나와 있지만 스스로 선교지를 위험천만

한 로마로 결심한 사람이 바로 베드로였습니다. 누구보다도 영성이 뛰어나고 강인한 사람이었습니다. 교황청이 그를 일대 교황으로 추대할 만한 뛰어난 인물입니다."

"그럼 성경에서 의심 많은 제자로 불리는 사도 토마스는 어떤 분이었습니까?"

"후대에 나온 많은 성화에는 토마스를 의심 많아 보이는 늙은이로 묘사해 놓았더군요. 사실 사도 토마스는 나와 외모가 많이 닮은 제자였습니다. 도마복음 첫 구절에 '쌍둥이 토마스'라고 적혀있죠. 도마는 내가 십자가에 못 박혀 죽는 걸 직접 목격했기에 나의 생환을 믿지 못했죠. 그의 천성이 매우 논리적이었기 때문입니다. 그 일 이후 도마는 누구보다도 믿음이 강한 제자가 되었고, 훗날 인도로 건너가 나의 일을 도왔죠." 톰은 대답 끝에 잔잔한 미소를 띤 얼굴로 마크를 바라봤다. 하지만 자신의 전생을 알 리 없는 마크는 톰과 눈이 마주치자 별생각 없이 고개를 끄덕였다.

"하지만, 그는 왕궁공사비를 훔쳐서 처형되지 않았습니까? 훔치는 건 계율에 위반되지 않습니까?" 클레멘스는 진심으로 궁금해하는 태도로 물었다.

"사실 공사비를 훔친 게 아니라 공사비 일부를 굶어 죽어가는 빈민들의 식비로 쓴 거죠. 그는 자신이 큰 대가를 치를 것을 이미 알았습니다. 토마스는 계율을 어긴 게 아니라, 자신의 목숨을 그들을 위해 바친 겁니다." 사도 토마스를 변호하는 톰의 목소리에는 묘한 슬픔이 묻어났다.

"그렇군요. 막달라 마리아도 실제 인물입니까?"

"네, 사실입니다. 막달라 마리아는 여성 입문자 중 가장 먼저 입문한 제자입니다. 그녀의 총명함이 남달라 베드로의 시기를 살 정도였으니까요. 마리아의 지혜롭고 헌신적인 자세는 단연 돋보였었죠. 가장 재평가되어야 할 제자이기도 합니다." 톰은 대답 끝에 이사벨을 흘깃 쳐다봤다. 톰은 이사벨의 눈매가 막달라 마리아와 많이 닮았다는 걸 기억하고 쓴웃음을 지었다.

"요한복음과 요한계시록을 쓴 요한은 어떤 사람이었습니까?"

"요한은 지적 호기심이 많고 기억력이 뛰어난 제자였습니다. 그가 요한복음과 요한계시록을 남긴 건 우연이 아닙니다. 개인적으로 신약성서 중 그가 쓴 요한복음이 가장 마음에 듭니다." 톰은 잔잔한 미소를 띠며 클레멘스를 봤다. 톰은 자신에게 끊임없이 질문하던 마르고 주근깨 많던 젊은 요한이 환생해서 바티칸의 도서관장이 되어있다는 사실이 묘한 감동을 주었다. 하지만 클레멘스는 왜 그가 자신에게 미소를 짓는지 알 수 없었다.

"유다도 입문자였습니까?"

"아닙니다. 그는 내 추종자들 사이에 끼어 나를 감시하고 고발까지 한 빌라도의 첩자 중 한 명이었습니다. 나는 유대 전역을 걸어서 여행했기에 각 마을에서 나를 따라나서는 사람의 수가 많았습니다. 그들 중 상당수는 순수하지 못한 이유로 나를 따라다녔습니다. 성경에는 유다가 열두 제자 중 한 명으로 묘사되어 있지만, 나는 첩자를 제자로 둘 만큼 멍청하지 않았습니다. 성경에는 그가 은전 몇 냥에 나를 팔고, 그 이후 죄책감에 목매달아 자살한 것으로 나오지만, 사실 그는 빌라도의 총애 속에 호의호식하다가 천수를 다 누리고 죽었습니다." 마크는 톰의 떨리는 목소리에 깊은 분노가 담겨있음을 직감했다. 마크는 톰이 다중인격이 된 것 같아 답답한 마음에 큰 한숨이 나왔다.

루치오는 냉랭하게 질문을 던졌다. "그래서 당신이 교황님을 만나려는 이유가 뭡니까?"

"이제야 제일 중요한 질문을 하시네요. 저는 바티칸을 포함한 로마에 대지진이 일어날 것을 예견했습니다. 여러분은 대지진에 대비해야 합니다." 톰의 말에 방안은 순간 정적이 일었다.

클레멘스가 짧은 정적을 깨고 의구심을 표출했다.

"하지만, 바티칸은 지진이 일어나는 불의 고리 같은 화산대도 아닌데 그게 가능합니까?"

"인간들에 의해 학대받고 죽은 동물들의 청원으로 천국은 인류 돕기를 포기했습니다. 그래서 자연은 신도 이젠 인간을 돕지 않는다는 것을 보여주기 위해 바티칸을 먼저 공격할 겁니다."

"말도 안 되는 소리!" 루치오가 믿기 힘들다는 표정으로 손을 휘저었다.

"추기경님들이 교황님께 말씀드려서 바티칸 시국은 물론 로마시청에도 알려 대비를 해야 합니다." 톰은 다급함에 그에게 간청하다시피 했다.

"역시 믿기 힘든 말이군. 교황님을 만나려는 또 다른 이유는 없소?"

"다른 한 가지 이유는 직접 교황님을 만나서 얘기해야 합니다."

"잠시 우리에게 논의할 시간을 주세요."

루치오와 클레멘스는 구석으로 가서 잠시 대화를 나눴다. 클레멘스는 한 번 더 검증의 시간을 가지자고 했지만, 루치오는 단호하게 거절했다. 루치오는 대화를 나누면서 냉랭한 눈빛으로 톰의 옆모습을 쳐다봤다. 이사벨과 마크도 어떤 결과가 나올지 몹시 궁금한 표정이다. 대화를 마친 그들은 다시 자리로 돌아왔다. 루치오가 싸늘한 목소리로 입을 열었다.

"톰, 당신의 말 한마디 한마디가 놀라웠소. 하지만 성서에 어긋나는 이단적인 답변과 망상적인 성향이 보여서 나로서는 당신을 재림한 예수라고 인정할 수가 없소."

판사가 죄인을 판결하듯 말하는 루치오의 말에도 뜻밖에 톰의 표정이 변함이 없다. 톰의 염려대로 루치오는 빌라도의 환생이 맞았다. 톰은 그를 처음 봤을 때 빌라도의 이미지가 겹쳐 보여 이미 이런 결말을 예상했었다. 전생에 본 빌라도는 냉혹하고 매우 잔인한 인물이었다. 예수에게 첩자 유다를 보낸 자도 그였다.

"그러므로 당신은 교황 성하를 절대 만날 수 없소. 내가 보기에 당신은 먼저 정신과 치료가 필요한 것 같소. 원한다면 내가 뛰어난 의사를 소개해줄 수도 있소." 루치오의 어조에서 강한 불신이 묻어났다.

"성의는 감사하지만, 정신과 치료는 사양하겠습니다. 저의 솔직한 대답들이 두 분의 마음을 열지 못한 것 같군요. 그렇다고 진실이 아닌 말을 할 수는 없었습니다. 지진이 나면 제 말을 기억해주세요. 지진이 나면 실내의 모든 사람은 건물 밖으로 대피해야 합니다. 로마의 그 어떤 건물도 남아나지 않기 때문입니다." 톰의 목소리는 비장해서 마치 일어난 사실을 말하는 것처럼 착각을 일으키게 했다.

"그리고 로마뿐만 아니라 동시다발적으로 여러 곳에서 지진이 일어날 겁니다. 전 그중에 한 곳인 인도 북부 스리나가르로 갈 예정입니다. 스리나가르는 이사벨의 고향이라고 알고 있습니다. 이사벨, 나를 도와 가족과 이웃을 구할 생각 없습니까?"

톰의 말에 이사벨은 불구경하다가 자신의 발등에 불이 떨어진 격이 되었다. 바티칸에 대지진이 일어난다는 말도 받아들이기 힘들지만, 자신의 고향에도 지진이 일어난다고 하니 형언하기 힘든 혼란에 빠졌다. 이사벨이 갈등에 빠져 결단을 내리지 못하고 있자, 클레멘스가 먼저 입을 뗐다.

"이사벨, 휴가를 줄 테니 고향에 갔다 오세요."

"네, 그럼 저는 며칠 휴가를 쓰겠습니다."

"이사벨, 그럼 톰과 마크의 표도 같이 예약하세요." 클레멘스가 다정한 목소리로 말하자, 이사벨이 고개를 끄덕였다.

제12화 메시아 카알

막 해가 떠오르는 예루살렘 성전산(Temple Mount)에 성지 순례자들이 가득하다. 성전산은 아브라함(Abraham)이 장남인 이삭(Isaac)을 신께 제물로 바치려던 장소다. 또한, 이곳은 솔로몬(Solomon)왕이 건축한 뒤 훗날 로마군에게 파괴된 대성전 터이며, 이슬람의 교주 무함마드(Muhammad)가 알라의 마지막 계시를 받기 위해 승천했다는 성지이다.

지금은 이곳에 이슬람 사원인 바위 돔 사원(Dome of the Rock)이 자리하고 있다. 사원의 벽면 아래는 대리석으로, 위는 푸른색 유리 모자이크로 치장되어있고, 지붕은 황금색 돔으로 덮여있어 멀리서도 눈에 매우 잘 띈다.

기독교 순례자들은 35m 높이의 웅장한 사원의 황금 돔을 보다가, 그 옆에 흰 물체가 허공에 떠 있는 것을 발견했다. 그 물체는 아침 햇살에 반사되어 빛나는 것처럼 보였다. 고성능카메라를 든 중년남성이 줌을 당겨서 물체를 찍었다. 카메라 화면을 확인한 그는 믿을 수 없다는 듯 탄성을 질렀다.

"사람이야! 사람이 공중에 떠 있어!"

그러자 사람들이 사진을 보려고 그에게 몰려들었다. 사진 속에는 전통 유대 복장을 한 남자가 보였다. 사람들은 화면을 돌려보며 동요하기 시작했다.

"뭐지? 유대 전통 복장을 한 사람이잖아!"

"혹시 몰래카메라야?" "마술쇼인가?"

"사람이 아니라, 풍선일 수도 있잖아!"

그때 누군가가 소리쳤다. "저것 봐! 내려오고 있어!"

"정말이야?"

그 물체는 마치 허공에 가르며 사람들이 모여 있는 곳으로 천천히 내려왔다. 가이드는 깃발을 들고 멍하니 쳐다봤고, 머리가 벗겨진 할아버지는 자세히 보려고 손으로 이마를 가렸고, 파마머리의 중년 부인은 긴장한 채 뭐라고 중얼댔다. 심지어 겁에 질려 뒷걸음치는 사람도 여럿 있었다. 야구모자를 쓴 청년은 휴대전화로 그 장면을 놓치지 않고 동영상으로 촬영했다.

 사람들을 향해 천천히 내려오던 물체는 지상에서 10m 정도에서 멈췄다. 그 물체는 확실히 사람의 모습이다. 게다가 흰색 로브에 긴 갈색 머리카락을 뒤로 늘어뜨린 모습이 영락없이 기독교 성화에 나오는 그리스도의 모습이다. 짙은 눈썹 아래 푸른 눈동자, 길고 오뚝한 콧날, 햇볕에 살짝 그을린 연갈색 피부를 가진 그는 얼굴에서 신성한 분위기를 풍겼다.
 "뭐야? 정말 사람이야?"
 "마술사인가? 가이드! 오늘 여기서 마술공연 있어?"
 할아버지의 물음에 깃발을 든 가이드가 고개를 갸웃하며 대답했다.
 "글쎄요. 이곳에서는 한 번도 대중공연을 한 적이 없는걸요."
 "그럼, 이 상황은 도대체 뭐야?"
 "우리가 예수 그리스도의 재림을 보기라도 하는 거야?" 순례자 중한 명이 이렇게 말하자 사람들이 술렁거렸다. 이때, 신비로운 그 남자는 허공에 계단이라도 있는 듯 천천히 걸어서 순례자들에게 다가왔다. 순례자들은 모두 혼이 빠진 표정으로 그 모습을 지켜봤다. 드디어 지상에 발을 디딘 의문의 남자는 순례자들을 둘러보고 입을 열었다.
 "그대들은 여기서 보고 들은 걸 모두에게 전해라!"
 그의 목소리는 낮고 부드러웠고 정확한 영어 발음으로 말했다. 그러자, 가이드가 그곳에 있는 사람들의 생각을 대변하듯 물었다.
 "그게 무슨 말입니까? 대체 당신은 누구입니까?"
 "나는 너희를 구원하기 위해 이곳에 왔다. 모두에게 알려라! 내가 이 세상에 돌아왔음을……."

 휴대전화로 동영상을 찍던 청년이 자신도 모르게 중얼거렸다.

"오~ 마이 갓! 지저스!"

제13화 조나단

며칠 뒤 늦은 오후, 스리나가르 공항으로 국내선 비행기가 착륙을 시도했다. 잠시 뒤 톰 일행은 복잡한 검색과정을 마치고, 방탄조끼를 착용한 군인들 사이로 걸어 나왔다. 공항을 나온 톰은 옛고향에 이천 년 만에 돌아와서 감회가 남다른 표정으로 주위를 둘러봤다.

공항 정류장 근처에는 노랗고 빨간 들꽃이 가득 피어있다. 톰은 이곳의 짹짹거리는 새소리마저 매우 정겹게 들렸다. 멀리 있는 설산이 또렷하게 보일 정도로 날씨는 쾌청했다. 뒤이어 나온 마크도 유난히 상쾌한 공기가 맘에 드는 듯 심호흡을 했다.

이사벨이 정류장 옆에 대형 현수막을 손으로 가리켰다. 현수막에는 "마술사 톰의 공중부양 묘기[일요일 오후 3시 달(Dal) 호수]"라고 큼지막하게 쓰여있다.

"조나단 삼촌이 힘쓴 덕분에 구청의 승낙을 얻어 현수막을 걸 수 있었습니다. 정류장들을 포함해서 시장과 번화가마다 현수막을 모두 붙였다고 합니다."

"삼촌이 이사벨의 말만 믿고 이렇게 행동했다는 사실이 너무 놀랍습니다." 톰은 그들의 결단에 무척 감동했다.

"그런데 그 정도 실력으로 공중부양 공연이 가능한 거야?" 마크가 믿기지 않는 듯 물었다.

"조금 더 연습하면 되지 않을까?" 톰의 무성의한 대답에 이사벨은 기가 찬 표정으로 그를 쳐다봤다.

"이사벨. 걱정하지 마세요. 톰이 물을 포도주로 만드는 것도 봤잖아요." 마크가 그녀의 걱정을 덜어주려고 노력했다.

"톰, 제발 내가 당신을 믿은 걸 후회하지 않게 해줘요." 이사벨은 아직도 의심이 가시지 않은 표정이다.

"넌 너무 무모해!" 마크가 이사벨을 등지고 톰에게 속삭였다.

"남녀노소 최대한 모으려면, 이 방법밖에 없었어." 톰은 살짝 기가 죽은 얼굴로 변명했다.

"탕! 탕!"

저 멀리 산에서 난 총소리가 메아리가 되어 크게 울려 퍼졌다. 톰과 마크는 놀라 몸을 숙이고 피할 곳을 찾으려 두리번거렸다. 하지만 이사벨은 무덤덤하게 누군가를 찾고 있었다.

"이사벨, 이게 무슨 총소리죠?" 마크가 매우 긴장한 표정으로 물었다.

"국경에서 난 총소리입니다. 오래전부터 분리 독립을 원하는 반군과 인도 정부군이 국경에서 대치 중이거든요. 아! 저기 삼촌이 왔네요."

이사벨이 손을 흔들자, 검은색 뿔테 안경을 낀 반백의 중년남성이 도로 건너편의 흰색 자동차에서 내렸다. 그는 회색 바지 위에 진홍색 카디건이 잘 어울리는 단정한 교수 같은 외모다. 선량한 눈매에 유난히 크고 뾰족한 코를 가진 그는 얼핏 유대인처럼 보였다. 그의 손짓에 이사벨과 일행은 급하게 도로를 건넜다. 이사벨은 마치 딸이 아빠에게 안기듯 조나단의 품으로 뛰어들었다.

톰은 웃으며 그에게 다가가다가 눈물샘이 고장이 난 듯 갑자기 눈물을 주르륵 흘렸다. 그는 조나단의 선한 눈매가 매우 눈에 익어서 금방 그를 알아봤다.

조나단은 톰이 바티칸에서 만날 거라고 예상했던 사도 베드로였다. 베드로는 사후 가톨릭의 초대 교황으로 추대되었기 때문이다. 그는 가장 친한 친구였으며 누구보다도 자신을 믿어주던 동지였다. 그런 베드로가 환생해서 책 출판을 통해 알려지지 않은 메시아의 발자취를 재조명했고, 제2의 고향인 이곳에서 그를 도우려고 한다는 사실에 매우 감격했다. 또 전생에 가족 같았던 제자들이 한자리에 모였다는 사실이 그를 복받치는 감정으로 이끌었다.

하지만, 그 사실을 전혀 알 턱이 없는 조나단은 의아한 표정으로 그를 보았고, 이사벨은 어리둥절해서 톰에게 물었다. "톰, 왜 울어요?"

"조나단은 나의 전생에 인연이 깊습니다. 오랜만에 보니 반가워서 저

절로 눈물이 났습니다. 그리고 여기에 있는 다른 분들도 저와 깊은 연관이 있습니다." 톰의 말에 조나단은 눈을 반짝이며 그에게 다가섰다.

"저도 톰이 낯설지 않습니다. 그럼 제가 성경에도 나오는 인물인가요?"

"그렇습니다. 조나단은 사도 베드로의 현신입니다. 그리고 마크는 사도 토마스의 환생이고, 이사벨은 막달라 마리아의 환생입니다. 이곳의 주민을 구하기 위해 우리가 이렇게 모인 일은 내게는 매우 감격스러운 일입니다."

톰은 눈물을 닦으며 말했는데, 마크는 두 손으로 얼굴을 가렸고, 이사벨과 조나단은 반신반의하는 표정으로 바라볼 뿐이다. 톰의 황당한 전생 이야기에서 가장 먼저 현실로 돌아온 사람은 이사벨이었다.

"삼촌, 짧은 시간에 공연 준비한다고 고생했어요. 그럼, 준비가 다 된 거죠?"

"아니, 아직 악단을 구하지 못해서 내일도 섭외를 해봐야 할 것 같아."

이사벨이 공연에 사람을 끌어모으기 위해 악단 섭외를 부탁했는데, 주말에는 행사가 많아서 작은 악단조차도 모두 예약된 상황이다.

"조나단, 당장 내일이 공연인데, 악단과 더불어 클럽 디제이도 같이 알아보면 안 될까요?" 톰의 제안에 조나단이 고개를 끄덕였다.

"그것도 좋은 방법이네요. 삼촌, 그럼 숙소는 어디에요?"

"얼마 전 집필실로 작은 하우스 보트를 샀는데 그곳이 적당할 것 같구나."

"우리 책이 그렇게 많이 팔렸어요?"

"책이 꾸준하게 팔리고 있는 덕분이지!"

"하우스 보트가 뭐죠? 요트 같은 건가요?" 마크가 호기심 어린 눈으로 대화에 끼어들었다.

"관광지인 여기에서는 호수 주변에 묶여있는 가옥형 나무배를 여행 숙소로 사용합니다."

"그럼, 물 위의 집 같은 개념이네요."

조나단의 차는 포장된 도로 위를 천천히 미끄러져 갔다. 그때 한 대의 차가 그 뒤를 조용히 뒤따랐지만 아무도 미행 사실을 알지 못했다. 톰과 마크는 북적거리는 좁은 도로를 호기심 가득한 눈으로 두리번거렸다. 도로 위에는 자동차, 오토바이를 개조한 삼륜차, 말이 끄는 수레까지 뒤섞여 묘한 분위기를 자아냈다. 고풍스러운 거리에는, 빼곡하게 작은 가게들이 늘어서 있다. 가방, 양털로 짠 카펫, 옷가지, 스카프, 각종 수공예품 등이 원색의 간판 아래에 가득하다.

"총소리 때문에 많이 놀라셨죠? 저도 어려서부터 심심찮게 들었지만, 아직도 적응이 안 됩니다. 종교적 갈등이 아름다운 이곳을 지옥으로 만들어버렸습니다." 이사벨이 조수석에서 뒤돌아보며 설명을 했다.

"종교의 차별 없이 어울려 살던 우리가 언제부터 타 종교인을 미워하게 되었을까요?" 설명을 듣고 있던 톰이 한탄스럽게 말했다.

잠시 뒤 조나단의 흰색 승용차가 달(Dal) 호수에 도착했다. 크고 고요한 호수는 하늘과 산을 그대로 맑게 담아내고 있다. 톰 일행은 조나단의 뒤를 따라 삐걱대는 나무다리를 건너 하우스 보트의 갑판으로 걸어갔다. 하우스 보트의 기둥은 기하학적인 문양으로 깔끔하게 치장되어있다.

조나단이 하우스 보트의 거실문을 열자, 향긋한 나무 내음과 오래된 책 내음이 섞여서 풍겨 나왔다. 원목 그대로인 넓은 거실 바닥에는 멋진 설산 풍경이 수놓아진 양털 카펫이 깔려있었다. 거실 창문 옆에는 나무로 된 큰 책상이 있고, 그 위에는 몇십 권의 책과 노트북이 놓여있다. 이사벨이 거실 귀퉁이에 있는 주방 문을 열고 들어가 냉장고에서 물을 꺼내왔다. 거실에 들어온 그들은 카펫 위에 둘러앉았다.

"말씀하신 대로 공연의 원활한 진행을 위해 행사 도우미도 뽑아놓았고, 만일에 사태를 생각해서 경찰에 협조요청을 해 놓았습니다. 내일까지 악단이나 디제이를 어떻게든 섭외해보겠습니다. 그리고." 조나단이 톰의 눈치를 보며 말끝을 흐렸다.

"궁금하신 거 있으시면 말씀하세요?" 톰이 바로 눈치를 채고 말했다.

"아까 환생 얘기도 그렇고, 기독교학자로서 톰에게 궁금한 게 많습니다. 그중에 제일 이해가 안 가는 거 하나 물어봐도 될까요?"

"네, 좋습니다."

"책을 쓰려고 자료조사를 하다가 코란에 예수와 성모 마리아에 대해 많이 언급된 사실을 알게 되었습니다. 특히 코란에서 여성 인물로는 유일하게 성모 마리아의 일대기를 다룬 마리아 장이라는 대목이 있습니다. 그 주요 내용을 보면 마리아가 예수를 잉태하고 낳고 기르는 과정이 상세하게 나옵니다. 물론 성경과는 내용이 차이가 있습니다. 선지자 무함마드는 왜 마리아 장을 썼을까요?"

"코란은 대천사 가브리엘의 말을 선지자 무함마드가 듣고 쓴 내용입니다. 선지자 무함마드는 그보다 앞서왔던 선지자 예수와 성모 마리아에 대한 깊은 존경을 표현한 것입니다."

"역시 그렇군요. 내일 사태가 잘 정리되고 나면 톰과 깊은 대화를 가지고 싶습니다."

"네, 좋습니다. 오늘은 공연 준비를 하고, 내일 오전에는 '로자발'에 들렀다가 공연코스인 '상카라차르야(Shankaracharya)' 사원을 답사하고 싶습니다."

"로자발은 왜?" 마크가 별생각 없이 물었다.

"위대한 성인이 묻혀있는 곳인데, 당연히 참배해야지." 톰이 천연덕스럽게 대답했다. 사실 그는 자신이 자신의 무덤을 참배한다는 말이 우습기도 했다.

"식사는 주방에 준비되어 있으니, 찾아드시면 됩니다. 그럼 저희는 내일 아침 아홉 시에 오겠습니다." 조나단과 이사벨은 인사를 하고 나무다리를 건너갔다.

마크는 거실에 벌렁 누웠고, 톰은 통나무의자가 있는 갑판으로 나왔다. 의자에 앉은 톰은, 말없이 주위를 천천히 둘러봤다. 모든 게 변했지만, 잔잔한 호수에 핀 분홍빛 연꽃과 사원이 있는 남쪽 언덕, 그리고 북쪽으로 보이는 히말라야의 끝자락을 장식하는 산봉우리는 변한 게 없었다. 그리고 바람결에 날려오는 산의 푸릇한 향기가 그를 추억에 젖게 했다.

연잎과 수초 사이로 보드레한 회색 털을 지닌 오리와 물새들이 헤엄쳐 다녔다. 가끔 공예품이나 간식거리, 과일을 파는 초승달 모양의 나무배 '시카라'가 호수 위를 미끄러지듯 여기저기를 오갔다. 톰은 또 다른 고향인 이곳에 이천 년 만에 다시 돌아왔다는 사실이 믿기지 않았다. 어느새 잔잔한 호수에 오렌지빛 노을이 물들고 있다. 그 위로 초승달 모양의 배가 지나가자, 배가 마치 하늘 위로 떠가는 듯 보였다.

다음 날 아침, 호수에 물안개가 걷히고, 새들의 지저귐이 아침의 시작을 알리고 있다. 호수 한편에서는 동네 주민이 수초를 베어 시카라 위에 잔뜩 쌓고 있다. 톰은 갑판바닥 위에 밤을 지새운 듯 몸에 얇은 보자기를 두른 채 고요히 앉아있다. 이사벨이 나무로 된 다리를 건너오는 소리에 톰은 조용히 눈을 떴다.

"여기서 밤을 보냈어요?"

"네, 공기가 좋아서 밖에 있었습니다." 둘의 대화 소리에 깬 마크도 눈을 비비며 갑판으로 나왔다.

"계획대로 '로자발'과 언덕 위 사원을 돌아보고 공연 준비를 하죠." 이사벨이 마음이 바쁜 듯 빠르게 말했다.

"그럼 먼저 든든하게 식사부터 하죠. 참! 톰은 공중부양해야 하니까, 오늘은 당연히 굶어야겠지?" 마크가 부스스한 모습으로 농담을 던졌다.

"이런! 그 생각을 못 했네." 톰은 슬픈 표정을 지으며 장단을 맞췄다.

제14화 신의 도시

톰과 마크가 이사벨을 따라 보트의 다리를 건너 땅 위로 올라왔다. 그들은 제법 북적이는 도로를 지나 좁은 골목 안으로 들어섰다. 골목 끝에는 살구색 벽과 연청색 지붕의 대조가 인상적인 작은 사당이 나왔다.

"여기가 이스라엘 성인 '이사'(lsa)의 무덤인 '로자발' 입니다." 이사벨은 톰을 뒤돌아보며 말했다. 톰은 자신의 무덤을 보는 기이한 경험에 주위를 돌아보며 말을 아꼈다.

그들은 이사벨의 안내에 따라 신발을 벗은 후, 로자발 안으로 들어갔다. 밀폐된 공간에는 그윽한 향냄새가 가득하고, 고요한 가운데 그들의 발소리만이 들렸다. 사당 중심에 큰 통유리가 있고, 그 밑이 무덤이라고 이사벨이 설명했다. 녹색과 금색 실로 만든 천으로 무덤 위 울타리를 장식해 놓았다.

"저 금박 천을 두른 나무 울타리 안으로 한 개의 긴 돌이 있는데, 그게 지하 석실의 입구입니다. 그 긴 돌을 치우고 석실로 내려가면 역시 돌로 된 '이사'의 관이 있습니다. 이 매장방식은 인도식이 아닌 고대 유대 방식입니다. 그리고 무덤 발굴 당시 '이사'의 발자국 모양 조각이라고 추정하는 석판이 나왔습니다. 저기 보이시죠?"

이사벨은 발자국이 새겨진 석판이 있는 곳으로 그들을 안내했다. 유리 안에는 상처 입은 발바닥 모양이 투박하게 조각된 새까만 돌판이 전시되어 있다.

"석판을 보면 두 개의 발자국에 각기 다른 흉터가 보이죠? 연구 결과에 따르면 두 발을 모아 큰 못을 박으면 양발의 바닥 아래에 저렇게 서로 다른 흉터가 남는다고 합니다. 누가 어떻게 저런 석판을 만들었는지는 알 수는 없지만, 십자가형을 받은 사람의 발자국 모양이라는 것만은 확실하죠. 그래서 사람들이 '이사'를 더욱 예수로 믿는 듯 보입니다. 톰은 메일에서 로자발이 자신의 무덤이라고 서술했는데 아직도 그렇게 생각하세요?"

"네, 그리고 사당이 소박해서 아주 맘에 드네요. 이제 답사하러 언덕 위 사원으로 갈까요?" 발자국 석판을 보며 만감이 교차하는 표정을 짓고 있던 톰은 뒤돌아서며 빙긋 웃었다.

잠시 뒤, 그들은 호수 남쪽 전망대를 오르고 있다. 언덕길에는 키 큰 삼나무들이 즐비하다. 동산의 꼭대기에 이르자, 이 천 년 풍화를 겪은 오래된 사원이 그들을 맞이했다. 사원은 마치 돌로 만든 큰 탑 같았다. 톰이 사원의 머릿돌을 손으로 쓰다듬으며 회상에 젖었다.

"내가 스리나가르에 정착한 이유는 기후와 자연환경이 명상하기 좋아서지만, 위치도 좋아서 라다크와 펀자브, 티베트 등으로 강연 여행을 하기 좋아서였지. 그리고 이 사원은 내가 매번 강연 여행을 마치고 돌아와 제자들과 밤샘 명상을 하던 휴식처였고, 이 세상에서 유일하게 내게 헌납된 사원이었지. 사원 이름도 내가 '솔로몬의 왕좌'라고 지었어."

이사벨은 바티칸의 대성당과는 대조되는 이 초라한 사원이 그의 유일한 안식처였다고 하자 왠지 마음이 아려왔다.

"작은 돌 사원인데 이름이 너무 거창 한 거 아냐?" 마크가 톰에게 의문을 제기했다.

"솔로몬 왕은 세월이 많이 흐른 지금에도 지혜의 상징이지. 이 사원에서 명상을 통해 지혜의 원천을 찾으라는 의미였어."

전망대 답사를 마친 톰 일행은 대화하며 언덕을 천천히 걸어 내려왔다. 그들 앞에 갑자기 나타난 군용트럭이 급정거했다. 대화에 빠져있던 톰 일행은 놀라서 그 자리에 멈춰 섰다. 트럭 뒤에서 방탄조끼를 입은 전투 경찰 두 명이 기관총을 들고 내렸다. 그리고 트럭 앞에서 경찰 간부 차림의 건장한 남자가 내렸다.

그는 마크와 친형제라고 해도 믿을 만큼 크고 다부진 몸과 날카롭고 위협적인 눈빛을 가졌다. 그의 가슴 명찰에는 아킬(Akhil)이라고 적혀 있다.

"당신들이 오늘 공연한다는 마술사 일행입니까?" 아킬은 딱딱하고 거만한 말투로 말했다.

"네, 그렇습니다만 무슨 일로?" 톰이 의아해하며 되물었다.

"신고가 접수되어 나왔습니다."

"그게 무슨 말씀인지?"

"당신들이 불법 마약상이라는 신고가 접수되었으니, 동행 부탁합니다."

"무슨 오해가 있는 것 같은데, 우리는 마약과는 전혀 관련이 없는 사람들입니다." 이사벨이 차분하게 항의했지만, 아킬은 눈빛 하나 바뀌지 않았다.

"그렇습니까? 어쨌든 확인이 필요하니 경찰서로 같이 가시죠."

무표정한 아킬은 경찰들에게 날이 선 목소리로 지시했다. 톰 일행은 어쩔 수 없이 카키색 군용천막으로 덮인 트럭 뒤에 탔다. 뒤따라 탄 경찰들은 톰 일행의 맞은편에 기관총을 들고 앉았다. 트럭은 시가지를 벗어나 외곽도로로 달렸다.

"경찰서로 가는 길이 맞나요? 왜 시외로 나가죠?" 이사벨이 뭔가 이상한 낌새를 알아채고 경찰에게 소리쳤다.

"마약사범은 외곽에 새로 지은 경찰서에서 다루니 걱정하지 마십시오." 지나치게 깡마른 경찰이 별일 아니라는 듯 퉁명스럽게 말했다.

톰은 마주 보고 앉은 이십 대 초반의 경찰들을 신중하게 훑어봤다. 깡마른 경찰의 명찰에는 아부(Abu)라고 적혀있고, 통통한 경찰의 명찰에는 라힘(Rahim)이라고 적혀있다.

아부는 깡마르고 유난히 핼쑥한 얼굴빛에 눈까지 깊게 들어가서 더욱 창백해 보였고, 라힘은 몸집이 동글동글하고 통통하지만, 식은땀을 흘리고 숨소리가 유독 거칠었다.

톰은 그들이 공항검색대에서 봤던 경찰들과 달리 머리카락이 길고 베레모도 엉성하게 쓴 게 의심스러웠다. 그리고 주름 없이 구겨진 바지와 반들거리지 않는 군화를 보며 의심은 확증으로 변했다. 원래 군인과 경찰들은 한정된 유니폼 안에서 온 정성을 쏟아 멋을 내려고 하기 때문이다. 이사벨도 그들의 옷이 몸에 잘 맞지 않는다는 사실에 주목했다.

"아저씨들 전투 경찰 아니죠?" 이사벨이 상냥하게 그들에게 물었다. 그러자, 경찰들은 서로 쳐다보다가, 그중에 라힘이 어색하게 되물었다.

"표시 많이 나요?" 라힘이 해맑게 되묻자, 아부가 그의 옆구리를 팔꿈치로 쳤다.

"내가 그렇게 말했잖아! 대답하지 말라고!"

"아니 사람이 묻는데, 어떻게 대답을 안 해!" 라힘이 기가 죽은 얼굴로 대답했다.

"내가 잘못했다!" 아부가 길게 한숨을 쉬었다.

"아저씨들 카슈미르 독립군이죠? 인상이 좋아 보이는데, 혹시 돈이 필요해서 우리를 납치하는 거예요?" 톰이 기자의 촉을 발휘하여 질문을 던졌다.

"제가 인상이 좋다는 얘기는 많이 들어요." 톰의 칭찬에 라힘이 싱긋 웃으며 대답하자, 아부가 또 두 눈을 흘겼다. 트럭이 비탈길에서 덜컹거리자, 아부가 덩치 큰 마크에게 기관총을 겨누었다.

"우리의 정체를 안 이상, 움직이면 바로 쏜다!" 아부가 잔뜩 긴장해서 소리쳤다. 분위기가 험악해지자, 마크는 손을 들고 애써 미소를 지었다.

"저도 여기 출신이라서, 여러분이 왜 독립운동을 하는지 잘 알아요. 그러니 우리를 풀어주시면, 신고하지 않을게요." 이사벨이 그들을 회유하려고 하자, 라힘이 아부의 눈치를 봤다.

"우리는 명령에 따를 뿐입니다." 아부가 망설이는 표정으로 대답했다. 그러나 곧 그는 초롱초롱한 눈빛으로 톰에게 물었다.

"그런데, 정말 공중부양이 가능해요? 얼마나 높이 가능해요?" 아부의 허를 찌르는 질문에 톰과 마크는 순간 전의를 상실했다.

"네 가능합니다. 내가 얼마나 높이 올라가는지는 공연을 직접 보면 참 좋을 텐데." 톰이 미소를 머금고 대답하자, 아부는 고개를 갸웃했다.

"사실 공중부양은 중력을 거스르는 건데, 아무리 마술사라고 해도 그게 어떻게 가능하죠? 진짜 마술 맞아요?" 아부의 사뭇 진지한 태도에 마크는 웃음을 참으려고 무던히 노력했다.

"우리 부대장한테 잘 얘기해봐요. 우리는 그냥 명령을 따라야 해서 힘이 없어요." 라힘이 이젠 그들을 걱정하는 말까지 했다.

"아까 그분이 부대장인가요?" 뭔가 다급하지만, 또 웃기는 상황에 이사벨도 웃음을 참으며 물었다.

"맞아요." 두 사람이 동시에 대답했다.

"며칠 전 무기를 사러 국경선에 갔던 대장은 사살되고 동료들이 잡혀서, 우리에게 무기 살 돈이 더 필요해요. 그래서 부대장이 납치를 계획 한 거죠." 라힘이 통통한 손으로 이마의 땀을 닦으며 숨김없이 술술 말했다.

톰은 부대장이 타협하기 쉬운 사람이 아님을 간파했기에 이들에게 무기를 뺏는 방법만이 살길이라고 생각했다.

"내가 간단한 마술 하나 보여줄까요?"

"네." 톰의 제의에 두 사람은 눈을 동그랗게 뜨고 대답했다.

"자! 내 눈을 바라보면 유체이탈이 가능해요." 톰이 사뭇 진지하게 말했다.

"에이~ 거짓말!" 아부가 실망스러운 듯 고개를 흔들었다.

"아! 정말이라니까!" 톰이 더 진지한 표정으로 말하자, 아부가 긴가민가한 표정이다. 의심 없는 라힘은 그들의 대화를 그저 듣고 있다.

"자 그럼 내 눈을 오 초만 뚫어지게 보세요. 그럼 알 수 있잖아요."

"좋아요." 흔들리는 트럭 안에서 아부와 라힘이 톰의 눈을 응시했다. "일 초! 이 초! 삼 초!" 톰이 힘 있는 목소리로 초를 셌다. 톰의 눈을 응시하던 아부는 갑자기 아찔함을 느끼고 눈을 감았다가 다시 떴다. 그랬더니 자신이 트럭 지붕 위로 튀어나와 있었다. 라힘도 자신과 마찬가지로 영혼 상태가 되어 어리둥절한 표정이다. 아부는 스쳐 지나가는 나무 뒤에 숨은 다람쥐가 보였다. 나무 속에 흐르는 수액도 선명하게 보였다. 그 모습은 마치 엑스레이처럼 투시된 모습이다. 아부는 신나서 마구 소리를 지르다가 아래를 보고 질겁했다. 트럭 안에서는 마크가 자신과 라힘의 몸을 허리띠로 꽁꽁 묶고 있었다.

"라힘! 아래를 봐! 우리가 당했어! 어떡하지?" 아부가 고래고래 소리를 질렀지만, 라힘은 두 팔을 크게 벌리고 자유를 만끽하고 있다.

"정신 차려! 라힘! 아래를 보라니까?" 라힘은 아부의 음성을 듣고 아래를 내려봤다. 라힘은 크게 비명을 지르다가 갑자기 트럭 안으로 사라졌다. 아부도 소리를 지르며 아래로 내려갔다. 아부의 영혼이 몸에 다시 들어오자, 몸이 부르르 떨렸다. 정신을 차린 아부는 말을 하려고 했지만, 입에 양말이 물려있다.

아부는 생각했다. '아! 이럴 줄 알았으면 어제 양말을 뺄걸.'

톰이 다가와 그들에게 속삭이듯 말했다.

"조용히 있으면 너희가 잘못을 인정한다고 여기고 살려줄게. 그런데 소리 지르고 난동 피우면 같이 죽는 거야." 옆에서 마크가 험악한 얼굴로 기관총을 들이댔다. 라힘과 아부는 겁먹은 얼굴로 고개를 끄덕였다.

잠시 후 톰 일행을 태운 트럭은 국경 근처 산 중턱에 멈췄다. 아킬과 안경 쓴 운전병이 내려 트럭 뒤로 걸어왔다.

"다 왔습니다." 운전병이 무심하게 말하며 천막을 걷으려고 다가섰다. 그때 천막 사이로 총구 두 개가 불쑥 나왔다. 그러자 아킬도 재빠르게 권총을 뽑아 들었다.

"너도 총 뽑아!" 아킬이 운전병에게 소리치자, 그도 권총을 꺼내 들었다.

트럭 속에서 기관총을 든 톰과 마크가 천천히 걸어 나왔다. 이사벨이 천막을 걷어 올리자, 라힘과 아부가 서로 등을 진 채로 묶여있다. 트럭 뒤에서 서로 총을 겨눈 긴장된 대치 상황이다. 그때 톰이 침묵을 깨고 말했다.

"우리는 공연하러 빨리 돌아가야 해. 그러니 우리를 보내줘."

"그래? 그럼 마술사 선생이 맨주먹 싸움에서 날 이기면 곱게 보내줄게." 톰에게 아킬이 오만한 표정으로 제안했다. 모두의 이목이 톰에게 집중되었다. 그러자, 승부 욕이 발동한 톰은 흔쾌히 승낙했다.

마크와 운전병이 거리를 벌려 싸울 수 있는 공간을 만들었다. 톰이 기관총을 땅에 내려놓고 나오자, 아킬도 권총을 운전병에게 맡기고 준비운동을 하며 몸을 풀었다.

톰과 아킬이 마주 보고 돌며 탐색전을 펴다가, 아킬이 묵직한 잽을 날렸다. 그러자 톰이 잽싸게 그의 손목을 잡고 옆구리에 킥을 넣었다. 그러나, 톰의 몸이 되려 튕겨나고 아킬은 끄떡도 없었다.

아킬은 대수롭지 않다는 듯 옆구리의 신발 자국을 툭툭 털었다.

"대장님! 화이팅!" 운전병이 소리 질러 응원했다.

"톰! 꼭 이겨!" 이사벨이 질세라 더 큰 소리로 응수했다. 아부와 라힘도 트럭 위에서 관람 중이다.

아킬이 과감하게 주먹을 날리며 접근해왔다. 톰이 두 팔을 올려 주먹을 막았지만, 충격이 만만치 않다. 그때 아킬이 톰의 허리띠와 옷깃을 잡고 그를 집어던졌다. 톰은 바닥에 떨어지며 낙법을 했다. 아킬은 기회를 놓치지 않고 군홧발로 일어나는 톰의 눈으로 흙을 차올렸다.

그의 생각대로 톰의 눈에 흙먼지가 들어갔다. 톰은 눈을 감은 채로 머뭇거렸다. 아킬은 마지막 일격을 날리기 위해 톰에게 달려들었다. 톰도 눈을 감은 채로 아킬의 품에 다가섰다. 톰은 자세를 낮춰 아킬의 주먹을 피했다. 그리고 아킬의 멱살을 잡고 스프링이 튀어 오르듯 이

마로 턱을 박았다. 아킬은 고목이 쓰러지듯 뻣뻣하게 뒤로 쓰러졌다.

운전병이 아킬에게 뛰어가서 그의 몸을 흔들었다. 그는 정신을 차리자마자 운전병의 권총을 빼 들었다. 마크는 다급하게 기관총 방아쇠를 당길 준비를 했다.

"잠깐, 약속이 틀리잖아!" 톰이 아킬을 저지하며 나섰다.

"너희를 보내면 우리 신분이 탄로 나서 어쩔 수 없어." 아킬은 턱을 어루만지며 말했다. 서로 대치한 가운데 또 한 번 긴장감이 감돌며 침묵이 이어졌다.

그때 숲속에서 누군가가 뛰쳐나왔다. 그러자 모두의 총구가 그를 향했다.

"대장?!" 아킬이 믿기 어렵다는 표정으로 말했다.

"대장님! 살아계셨군요." 운전병이 감격한 목소리로 울먹거렸다.

"미안하다. 나 혼자 빠져나와서. 그런데, 이 사람들은 뭐야?" 덥수룩한 수염에 허름한 나무꾼 차림의 늙은이가 다리를 절뚝거리며 운전병에게 다가섰다. 카리스마가 넘치는 그는 독립군 대장인 바이그(Baig)다.

"그게 대장이 죽은 줄 알고 다시 무기대금을 만들고 있었습니다." 운전병이 막힘없이 대답했다.

"어떻게?" 바이그의 질문에 아킬이 긴장했다.

"이 사람들을 납치해서..." 아킬이 더듬더듬 말했다. 바이그는 절뚝거리며 아킬 앞으로 걸어갔다. 아킬은 긴장한 표정으로 몸을 움츠렸다. 그는 아킬 앞에 우뚝 섰다.

"우리가 목숨까지 걸고 독립운동을 하는 이유는 인권을 보장받기 위해서다. 그런 우리가 다른 사람의 인권을 짓밟는 행동을 한다면, 독립의 명분이 사라진다." 바이그의 목소리는 힘 있고 진중했다.

"대장으로서 명령한다. 이 시간부터 독립군은 해산한다." 바이그의 말에 아킬과 운전병이 화들짝 놀랐다. 아부와 라힘도 눈을 동그랗게 뜨고 일어섰다.

"우리의 투쟁은 여기서 멈춘다! 우리는 명분을 잃었다!"

"그럼 우리는 어떻게 합니까?" 운전병이 물었다.

"돌아가서 다시 생업에 종사하던지, 망명하던지 너희 뜻대로 해라."

"대장!!" 아킬과 운전병이 동시에 소리쳤다.

"말씀 중에 죄송하지만, 저희는 중요한 공연이 있어서 지금 출발해야합니다. 트럭을 빌려주십시오." 공연시간이 촉박 해오자, 톰이 다급하게 바이그에게 말했다. 그러자 바이그가 절뚝거리며 톰에게 다가왔다.

"저희가 모셔 드리겠습니다. 제 부하의 큰 실수를 용서해 주십시오." 바이그가 톰에게 두꺼운 손을 내밀었다.

"잘 알겠습니다." 톰은 바이그와 악수를 했다. 그때 톰은 바이그의 전생을 알게 되었다. 바이그의 전생은 바라바(Barabbas)였다. 바라바는 예수와 동시대 인물로 로마의 악정에 불만을 품고 반란을 일으킨 열심당 지도자였다. 그는 로마군에 체포되어 옥에 갇힌 채 재판을 앞두고 있었다. 로마 집정관 빌라도는 유대인이 이집트에서 해방된 날을 기리는 유월절에 특별 사면으로 예수와 바라바 중 한 명을 석방하려 했다. 그 자리에 모인 유대인 중 열심 당원 수가 많아서 바라바가 압도적으로 유리했다. 바라바는 옥에 갇혀 지내는 동안 예수와의 대화로 그가 세상을 구할 메시아임을 알게 되었다. 그래서 자신이 풀려나게 되는 상황이 되자, 눈물까지 흘리며 안타까워했다. 그랬던 그가 이생에서도 독립군 지도자로 살아가고 있으며, 위급한 상황에서 이번에는 그를 도왔다.

"곧 대지진이 있으니, 적절한 곳으로 빨리 대피하십시오." 톰의 말에 바이그와 부하들은 의아한 표정을 지었다.

제15화 솔로몬의 왕좌

톰 일행이 탄 트럭이 조나단의 하우스 보트 근처에 도착했다. 그곳에는 이미 귀청이 울릴 정도로 엄청나게 시끄러운 댄스 음악이 터져 나오고 있었다. 일행은 서둘러 나무다리를 건너 하우스 보트에 올라갔다. 그곳에는 레게머리에 형광 티셔츠, 표범 문양 쫄바지를 입은 깡마른 남자 디제이가 흥을 돋우고 있었다. 하우스 보트 갑판에 설치된 대형 스피커에서 나오는 굉음은 호수 전체로 울려 퍼지고 있다.

"헤이! 브로! 왜 이렇게 늦었어. 내가 미리 분위기를 띄우고 있어! 잘했지?!" 디제이는 철제 교정기를 씌운 뻐드렁니를 드러내며 자랑스럽게 말했지만, 음악 소리에 묻혀 알아듣는 사람은 아무도 없었다.

이사벨이 난감한 표정으로 조나단을 쳐다보자, 조나단은 입 모양을 크게 해서 소리쳤다.

"섭외가 가능한 유일한 사람이었어! 일단 사람들의 이목을 끄는 데는 성공한 것 같은데?" 조나단의 말에 톰 일행이 주위를 둘러보니, 호수 주변은 물론, 수백 대의 하우스 보트 위에도 사람들이 가득했다.

"어서 공연 의상으로 갈아입어요!"

톰은 방에 들어가 공연 의상으로 갈아입고 나왔다. 진노랑 로브에 흰 바지를 입은 톰은 난감한 표정으로 지었지만, 조나단은 만족스러운 얼굴로 말했다.

"아무래도 푸른색 하늘과 호수라서 멀리서도 잘 보이는 색으로 준비했습니다. 참고로 노란색은 깨달음의 색입니다."

"괜찮아 보여?" 톰이 어색해하며 마크와 이사벨에게 물었다.

마크는 웃음을 참으며 대답했다. "응, 괜찮아. 병아리 같아."

그러자, 옆에 있던 이사벨이 마크를 툭 치며 한마디 했다. "잘 어울려요."

그들은 납치사건을 겪으며 확실히 서로에게 유대감이 더 한 분위기다.

톰과 마크는 초승달 모양의 시카라를 저어 호수 중앙으로 나아갔다. 모두가 볼 수 있는 위치에 다다르자, 이사벨이 마크에게 전화했다.

"그 지점이면 괜찮을 것 같아요."

"알았어요. 그럼, 디제이에게 효과음 잘 부탁해요."

마크가 휴대전화를 끊고 톰에게 한마디 했다. "여기서 물에 빠지면 난 그냥 갈 거야!"

"걱정하지 마! 자! 이제 시작해 볼까?" 톰이 초조한 듯 손을 비비고 조심스럽게 일어섰다. 디제이가 댄스 음악 소리를 줄이고, 긴장을 고조시키는 드럼 소리 효과음을 틀었다. 그러자, 사람들의 이목이 톰에게 모두 집중되었다.

몇몇 사람들은 휴대전화로 이미 동영상 촬영을 하고 있다. 톰은 지그시 눈을 감고 두 팔을 옆으로 크게 벌였다. 톰이 지혜의 눈에 완벽하게 집중하자, 그의 몸이 점점 공중으로 떠올랐다. 마크가 긴장해서 한 손으로 입을 가리고 그 모습을 지켜봤다.

톰이 배에서 이 미터 정도 떠오르자, 저 멀리서 환호성이 들렸다. 톰은 이마 가득 식은땀을 흘리며 더욱더 내면에 집중했다. 톰의 몸이 중력을 무시하고 풍선처럼 두둥실 올라갔다.

톰은 이십 미터 정도 높이에 오르자 서서히 상승을 멈추었다. 그 모습은 마치 푸른 하늘을 배경으로 노란색 십자가가 허공에 떠 있는 듯 보였다.

이때 넋 놓고 보고 있던 디제이가 정신을 차리고, 팡파르 효과음 버튼을 눌렀다. 큰 팡파르 소리에 톰이 놀라서 순식간에 허공에서 곤두박질쳤다. 이 모습을 본 군중이 하나같이 비명을 질렀다. 하지만 톰이 수면 바로 위에서 균형을 잡았고, 다시 두 팔을 펼치고 허공에 계단이 있는 듯 뚜벅뚜벅 걸어 올라갔다. 영화에나 나올법한 허공을 걷는 새로운 묘기에 사람들 사이에서 우레와 같은 박수가 흘러나왔다.

톰이 사원 방향으로 걸어가자, 마크도 그 방향으로 천천히 노를 저었다. 사람들의 시선도 톰을 따라 움직였고, 일부는 그를 자세히 보려고 사원 쪽으로 걸어갔다. 디제이는 분위기를 띄우려고 흥겨운 인도 전통 음악을 크게 틀었다. 톰은 계속해서 호수 남쪽으로 걸어가 사원이 있는 동산으로 향했다. 구경꾼들은 그를 가까이서 보기 위해 사원으로 올라가는 언덕길로 모여들었다.

톰은 '솔로몬의 왕좌' 사원의 꼭대기에서 이십 미터 위에 이르자, 걸음을 멈췄다. 톰이 아래를 보니 수천 명의 인파가 자신을 향해 걸어오는 게 훤히 보였다.

잠시 후, 사원으로 향하는 인파가 발 디딜 틈 없이 가득 찼는데, 그들 중 몇몇은 유튜브로 톰의 공중부양을 실시간 중계했다. 젊은 여성은 톰이 자신의 손바닥 위에 서 있는 각도로 재치있게 사진을 찍어 SNS에 올렸다.

멀리 산 정상에서 쌍안경으로 이 장면을 지켜보는 이들도 있다. 그들은 바이그와 부하들이다. 바이그는 불안한 눈빛으로 주위를 둘러보고 있다. 청바지에 체크무늬 남방을 입은 운전병이 엎드려 쌍안경으로 보다가 탄성을 질렀다. 그러자 고동색 니트를 입은 아부가 쌍안경을 빨리 넘기라고 졸랐다. 청색 남방을 졸리게 입은 통통한 라힘은 그 옆에서 식은땀을 흘리며 배고프다고 칭얼대고 있다. 아킬은 그들과 헤어져 산을 넘어가고 있다.

땅이 서서히 흔들리기 시작하며, 호수에 물결이 점점 일렁거렸다. 그러자, 이사벨이 디제이에게 음악을 끄라고 하고, 마이크를 쥐었다.

"여러분, 지진이 발생했습니다. 여러분은 사물이 넘어질 수 있는 곳을 피해 대피하시기 바랍니다. 보트에 계신 분들은 고정탁자 아래 숨거나, 기둥을 잡고 버티시기 바랍니다. 휴대전화를 가진 분들은 가족 친지에게 전화해서 무조건 밖으로 대피하라고 전해주세요." 이사벨의 소리는 톰의 귀에도 들릴 정도로 소리가 크고 선명했다.

"다시 한번 알립니다. 지금......"

이사벨이 방송하는 사이, 조나단은 친분이 있는 경찰서장에게 전화를 걸었다.

"서장님, 제가 어제 말씀드렸던 지진이 정말 발생한 것 같습니다. 비상연락망을 통해 시민을 모두 실외로 대피시키기 부탁합니다. 그리고......"

그사이 호수의 물결이 점점 크게 출렁이자, 하우스 보트들이 들썩거리기 시작했다. 하우스 보트에 있던 사람들은 고정탁자 아래에 숨거나 기둥을 끌어안고 불안해했다. 그 와중에 아이들은 배가 출렁거리자 재밌어하며 깔깔거리고, 겁 없는 청년은 흔들리는 갑판에서 균형 잡기를 하며 환호성을 질렀다.

"와~우! 오늘 너무 비현실적이야! 공중부양을 보질 않나! 지진이 나지를 않나! 렛츠 고우!" 이 와중에도 디제이는 쿵쾅대는 댄스 음악 소리를 높이며 혼자 신났다.

주택가의 벽돌집들은 벽에 금이 가고 지붕이 기울었고, 담이 풀썩 주저앉았다. 밖으로 대피하라는 방송이 거리 스피커에서 나오자, 사람들이 개미굴에서 개미가 나오듯 쏟아져나왔다.

땅의 진동이 점점 잦아들자, 어떤 사람은 집이나 가게에 중요한 물품을 가지려고 들어가고, 가족 친지에게 전화를 거는 사람도 많았다. 지진대피를 알리는 문자가 도착하며, 여러 가지 벨 소리가 한꺼번에 여기저기서 울렸다.

잠시 후 톰은, 북쪽 능선이 무너지고 땅이 융단처럼 출렁이며 성난 파도처럼 남쪽으로 향하는 모습을 보았다. 톰은 자신도 모르게 소리를 질렀다.

"맙소사! 이를 어떡하지? 이럴 때 난 뭘 할 수 있지? 기억해보자.

제발!" 톰은 눈을 질끈 감고 방법을 찾으려고 노력했다. 그사이 건물들은 북쪽부터 줄지어 한 번 들렸다가 내려앉으며 마치 도미노처럼 쉽게 무너졌다.

호수의 하우스 보트들은 큰 물결에 흔들리며 땅과 연결된 기둥과 나무다리들이 부서지기도 했다. 디제이가 가져온 대형 스피커가 호숫물에 잠기자, "펑" 소리와 함께 파란 불꽃이 튀었다. 디제이는 요란한 괴성을 지르며 이사벨과 조나단이 있는 거실로 뛰어들었다. 톰은 도시 사방에서 울려 퍼지는 비명을 들었다. 톰은 천재지변 앞에서 속수무책으로 당하는 사람들을 보며 말할 수 없이 괴로웠다. 그 수십 초가 마치 일 년처럼 느껴졌다.

큰 지진이 지나간 뒤 톰은 잔뜩 풀이 죽은 모습으로 고개를 숙인 채 허공에서 천천히 아래로 내려왔다. 야구모자를 쓴 청년이 톰을 향해 소리쳤다.

"당신이 우리를 살렸어요! 고마워요!"

그리고 그가 손뼉을 치기 시작하자, 동산과 언덕길을 가득 메운 사람들 사이에서 열렬한 박수가 퍼져 나왔다.

제16화 세르지오

주교회의 의장인 세르지오 추기경은 로마에서 금융전문가를 만나고 미사에 참여하기 위해 바티칸으로 급하게 돌아오고 있었다. 그가 탄 차량이 바티칸으로 들어가는 게이트로 진입하는데, 누군가 갑자기 차 앞으로 뛰어들었다. 운전사는 급정거 후 욕을 하려다가, 뒤에 앉은 세르지오의 눈치를 봤다.

세르지오가 의자 사이로 차 밖의 남자를 확인했다. 검은색 양복을 입은 긴 곱슬머리의 젊은 남자가 두 팔을 벌리고 환한 웃음을 짓고 있었다. 그는 얼마 전 이스라엘 상공에 나타났던 그 남자다. 그는 팔을 내리고 세르지오가 앉아있는 쪽으로 다가왔다. 그리고 창문을 내리라고 손짓했다. 세르지오는 그가 풍기는 마력에 창문을 내렸다.

"나의 친구! 세르지오! 내 목소리를 기억하느냐?" 세르지오는 익숙한 그의 목소리에 묘한 미소로 답했다. "네 기억합니다."

한편, 클레멘스 추기경은 상아색 미사 복을 입고, 전신 거울 앞에 섰다. 그는 수건으로 안경알을 닦으며 거울 앞에 다가섰다. 그런데 거울 속 모든 사물이 흔들리기 시작했다. 그는 뒷걸음치며 당황한 눈으로 주위를 둘러봤다. 착각이 아니었다. 벽에 걸린 그림이 심하게 흔들리고, 탁자 위 찻잔이 진동했다. 지진이 틀림없었다. 그때 클레멘스는 톰의 마지막 말을 떠올렸다.

"지진이 나면 제 말을 꼭 기억하세요. 일단 지진이 나면 모든 사람은 건물 밖으로 대피해야 합니다. 대지진으로 바티칸의 그 어떤 건물도 남아나지 않습니다."

클레멘스는 다급하게 휴대전화로 어디론가 전화를 걸었다.

"통제실입니까? 나는 클레멘스 추기경이요. 대피 방송을 해주세요! 바티칸 내의 모든 사람은 건물을 나와 바티칸 정원이나 광장으로 대피하라고 말하세요! 매우 급합니다!"

 통화 중에도 건물은 계속 흔들리고, 복도에 걸린 그림들이 차례로 떨어졌다. 통화를 마친 클레멘스는 공포로 차오르는 숨을 헐떡이며 계단을 뛰어 내려갔다. 그가 성직자 숙소를 빠져나올 즈음, 밖으로 대피하라는 방송이 바티칸의 모든 스피커에서 울려 퍼졌다. 클레멘스는 건물들 사이를 지나 정원으로 뛰어갔다. 건물에 있던 성직자와 직원들도 속속 밖으로 뛰어나왔다.

 바티칸의 거주인구는 230명 정도이고, 바티칸 밖에 사는 성직자와 직원을 포함하면 총 840명이 넘는다. 미사에 참여하는 사람들까지 포함하면 그 수는 수천 명이 된다. 성 베드로 성당 안에 있던 사람들도 대피 방송을 듣고 성 피에트로 광장으로 몰려나왔다.

 그 사이 지진은 강도를 더해갔다. 박물관의 대형유리가 부서지고, 도서관 벽면에 금이 가기 시작했다. 박물관 직원들이 비명을 지르며 건물 입구에서 뛰쳐나왔다. 통제실의 300여 개의 모니터 속 모습은 이미 아수라장이다. 통제실도 대피 방송을 하는 직원을 제외하고 모두 밖으로 뛰쳐나갔다.

 바티칸 정부청사 건물이 서서히 붕괴하고, 연이어 교황 알현 홀이 부서져 내렸다. 성 베드로 성당 제대의 청동 기둥이 크게 휘청거리고, 프레스코 벽화 곳곳이 금이 갔다. 미사에 참석했던 사람들은 모두 광장 쪽으로 뛰어가고 있다.

 진동하던 땅이 갑자기 들썩이는 융단처럼 출렁거렸다. 산 피에트로 광장의 대형 오벨리스크가 중심을 잃고 쓰러졌다. 바티칸의 오벨리스크는 어떤 재난에도, 로마에서 유일하게 한 번도 쓰러진 적이 없었다. 320톤 무게의 오벨리스크가 산산이 부서지며 광장 위에 흩어지자, 사람들은 파편을 피하며 비명을 질러댔다. 오벨리스크 꼭대기에 있던 십자가는 엿가락처럼 휘어져 땅에 나뒹굴었다.

 성 베드로 성당은 내부 기둥들이 부서지며 둥근 지붕이 한쪽으로 기울더니 큰 굉음을 내며 무너졌다. 그 여파로 시스티나 소성당과 교황

집무실 건물도 도미노처럼 연이어 무너졌다. 클레멘스는 넋이 나간 얼굴로 성 베드로 성당이 무너지는 것을 보고 있었다. 그때 루치오가 먼지투성이인 채로 그에게 다가왔다.

"이럴 수가……. 그의 말이 사실이었어." 루치오가 절망스러운 목소리로 중얼거렸다. 멀리 보이는 로마 곳곳에도 건물이 무너지고 불이 나서 여기저기서 큰 연기가 피어오르고 있다.

지진 이틀 뒤 스리나가르.

톰과 마크는 소방대원들과 함께 엉망진창이 된 시내에서 건물에 깔린 사람을 구조 중이다. 소방대원들은 체인톱으로 콘크리트 사이의 철근을 절단하고 있고, 톰과 마크는 주민과 함께 절단된 콘크리트 덩어리를 옮기고 있다. 바이그와 그의 부하들도 먼지투성이가 되어 함께 일하고 있다.

현장은 철근을 깎는 꿍음으로 매우 소란스럽다. 이때 이사벨과 조나단이 신부 복장의 사람들과 함께 그곳에 나타났다.

"톰! 마크!" 이사벨은 구조현장의 여러 사람 사이로 다니며 소리쳤다.

하지만 톰과 마크는 이틀 동안의 구조활동으로 온몸에 흙먼지를 뒤집어쓰고 있어서, 이사벨은 사람들 사이에서 그들을 쉽게 찾지 못했다. 그러나, 조나단이 마크의 큰 몸집을 알아보고 그들에게 다가갔다.

"톰! 마크!" 조나단이 가까이서 소리치자, 그들이 뒤돌아봤다.

"델리 교구에서 사람이 왔습니다!" 이사벨의 말에 톰은 옷의 먼지를 털며 방문객에게 다가왔다. 흰머리를 곱게 빗은 늙은 신부가 정중하게 합장을 했다.

"교황님께서 여러분의 안위가 걱정돼서 저희를 이곳에 보내셨습니다. 무사하시니 참으로 다행입니다. 교황님께서 당신과의 통화를 원하십니다."

신부는 휴대전화를 걸어 상대가 받자 톰에게 조심스럽게 건넸다.

"저는 교황입니다. 톰! 다친 곳은 없습니까? 스리나가르에도 지진이 있었다고 들었습니다." 전화기 속에서 교황의 목소리가 흘러나왔다.

"네, 성하. 다행히 우리 일행은 모두 무사합니다. 하지만 스리나가르의 피해는 상당합니다. 바티칸은 어떻습니까?"

"그렇군요. 당신의 예언 덕분에 대피 방송을 해서 바티칸의 인명피해는 아주 적었습니다. 하지만 로마는 인명피해가 매우 심각합니다. 저는 순방을 중단하고, 지금 바티칸으로 돌아와 광장에 대형천막을 설치하고, 피해 상황을 파악 중입니다. 그때 제가 순방을 취소하고 당신을 만나 귀 기울여 들었으면 상황은 달라졌을까요?"

"지난 일은 후회하지 마세요. 아직 살아있다는 건 기회가 남아있다는 겁니다. 하지만 남은 기회를 놓치면 모든 게 끝납니다."

"그렇군요. 조속히 톰을 만나고 싶은데 어떻게 할까요?"

"제가 동료와 함께 바티칸으로 가고 싶은데, 가능할까요?"

"네, 다행하게도 로마에서 멀리 떨어진 공항은 피해가 작아서 비행편이 있습니다. 최대한 빨리 오실 수 있도록 저희가 조치하겠습니다. 그럼, 옆에 계신 파올로(Paolo) 신부 차편으로 먼저 델리로 나오시기 바랍니다."

통화를 마친 톰이 휴대전화를 건네자, 파올로는 교황과 잠시 통화를 했다. 신부가 통화를 마치고, 톰 일행을 주차된 곳으로 안내했다. 그곳에서 이사벨은 조나단에게 작별인사를 했다. 그 모습을 보던 톰이 조나단에게 다가와 그의 눈을 보며 말했다.

"조나단, 당신 덕분에 스리나가르에는 인명피해를 최대한 줄일 수 있었습니다. 이제 인류를 구하기 위해 우리와 같이 일해볼 생각이 없습니까?" 톰의 제안에 조나단은 일 초의 망설임도 없이 대답했다.

"네! 당신과 함께하고 싶습니다!" 조나단의 시원한 대답에 톰은 악수를 청했고, 이사벨은 환하게 웃었다.

며칠 뒤, '레오나르도 다 빈치 국제공항' 대기실은 로마를 빠져나가

러는 전 세계 관광객으로 난장판이다. 로마 중심에서 35km 떨어진 공항은 피해가 작은 듯 비행 업무가 진행되고 있다. 대 지진 이후 계속되는 여진으로 공항은 피난 행렬로 가득하다. 입국 통로에서 말쑥하게 옷을 갈아입은 톰 일행이 걸어 나왔다. 톰은 진청색 정장 안에 흰 티셔츠를 입고 스니커즈를 신었다. 톰의 오른쪽에는 검은색 정장을 입은 마크가 선글라스를 쓰고 주위를 두리번거리며 걸었다. 톰의 왼쪽에는 회색 여성용 정장을 입은 이사벨이 자리했고, 그 옆에는 카멜색 정장을 입은 조나단이 어색한 듯 종종걸음이다.

톰 일행이 공항 입구를 나오자, 교황이 보낸 운전사가 손을 높이 들었다. 그는 톰이 처음 바티칸에 올 때 동행했던 운전사 중 한 사람이다.

톰 일행은 운전사의 안내대로 이사벨은 조수석, 남성들은 뒷자리에 앉았다. 중간에 앉은 톰은 자리가 비좁다고 느끼자, 두 사람 어깨에 자연스럽게 팔을 올렸다.

"죄송합니다. 바티칸의 임시 화장실이 복잡해서, 공항 화장실에 잠시 다녀오겠습니다."

운전사가 이사벨에게 말했고, 그녀는 흔쾌하게 다녀오라고 대답했다. 운전사는 빠른 걸음으로 걸어가다가 힐끗 그들을 뒤돌아봤다. 운전사와 눈빛을 마주친 마크는 뭔가를 간파하고 갑자기 고래고래 소리 질렀다.

"차에서 내려! 빨리!"

마크의 고함에 모두 허겁지겁 내려서 뛰었다. 그들은 건물 기둥 뒤에 몸을 숨겼다. 그때 승용차가 폭발하며 높이 솟아올랐다가 뒤집히며 땅에 떨어졌다. 톰 일행은 불덩어리가 되어 타오르는 승용차를 보며 충격과 공포에 빠졌다. 가까스로 정신을 차린 마크는 인파 속에 운전사가 있는지 두리번거리며 확인했다. 주위에 운전사가 없는 걸 확인한 마크는 서둘러 택시를 잡아 일행을 태웠다,

"이사벨 이 상황을 어떻게 생각해요?" 택시 조수석에 앉은 톰이 뒤

돌아보며 물었다.

"글쎄요. 왜 우리를 죽이려고 하죠?" 뒷좌석 중간에 앉은 이사벨은 아직도 얼이 빠진 얼굴이다.

"환영 인사가 뻐적지근한데?" 마크가 분을 삭이면서 말했다.

"인류 종말보다 우리가 먼저 종말을 볼 뻔했군. 인류의 미래보다 자신의 득실이 더 중요한 자가 있다는 말인데." 톰은 냉랭하게 웃었다.

반대선 차선은 로마를 빠져나가는 차량 행렬로 도로가 가득 찼지만, 로마로 향하는 차선에는 톰 일행이 탄 택시뿐이다. 톰과 마크는 연신 뒤를 돌아보며 경계를 늦추지 않았다. 로마시에 가까워지자, 스리나가르와 또 다른 지진의 참혹함이 드러나기 시작했다. 처참하게 무너진 건물들 사이로 여기저기 큰 불과 연기가 피어오르고 인도에는 먼지를 뒤집어쓴 사람들이 넋을 잃은 표정으로 삼삼오오 모여 있다. 잔뜩 찌푸린 하늘에는 몇 대의 소방헬기가 굉음을 내며 강물을 실어나르고 있다.

톰의 눈에 서서히 바티칸의 모습이 보이기 시작했다. 무너진 기둥과 건물의 잔해로 돌무덤이 된 건물은 마치 고대유적처럼 보였다. 피에트로 광장에 흰색 대형천막이 여러 개 쳐져있다. 불과 며칠 전 웅장한 신전의 위용을 뽐내던 건물들을 기억하는 마크는 입을 벌리고 말을 잇지 못했다. 이사벨의 눈에는 이내 눈물이 그렁그렁 맺혔다.

톰 일행이 택시에서 내리자, 광장에 있던 루치오 추기경이 다리를 절뚝거리며 그들에게 다가왔다. 그는 대지진 때 탈출하다가 계단에서 넘어져 다리를 다쳤다.

그는 충격으로 눈그늘이 더 짙어져 마치 죽음을 앞둔 병자처럼 보였다. 갑자기 또 땅이 흔들리기 시작했다. 여진이다. 건물 기둥 하나가 쓰러지며 굉음과 더불어 뿌연 먼지가 주변으로 퍼졌다. 지진의 공포는 여전히 계속되고 있었다.

"교황님이 기다리고 계십니다. 저를 따라오시죠." 루치오는 다친 다리를 절뚝거리며 그들을 안내했다.

제17화 천국과 지옥

교황이 있는 천막에는 붉은 깃털 모자를 쓴 근위병들이 창을 들고 서 있었다. 그들은 마치 르네상스 시대의 사람처럼 화려하고 고전적인 의상을 입고 있다. 하지만 시대를 반영하듯 그들의 전통 복장 안에 방탄조끼와 권총이 있다는 것을 이사벨은 잘 알고 있다.

톰 일행이 천막 안으로 들어서자 핼쑥해진 교황이 그들을 반겼다. 톰은 교황과 시선이 마주치자, 단박에 그의 전생을 알게 됐다. 교황의 전생은 사도 바울이다. 바울은 로마의 군인으로 기독교인들을 박해했던 자다. 그러다가 다마스쿠스에서 예수의 환영을 보고 개종했다. 그는 초기 교회의 기틀을 잡은 공은 크지만, 그리스도의 가르침을 직접 받은 적이 없다. 톰은 그의 정체를 알고 머릿속이 매우 복잡해졌다.

교황은 그들 모두와 가벼운 포옹을 하고 접이식 테이블로 안내했다. 루치오는 해야 할 일이 있다며 무거운 표정으로 그 자리를 뜨려고 했다. 그때 톰이 루치오에게 다가가 따뜻한 목소리로 물었다.

"불편한 다리를 좀 봐도 되겠습니까?" 톰의 말에 루치오는 머쓱한 표정으로 그를 봤다.

"오른쪽이 맞죠?" 톰은 그에게 다가가 오른쪽 무릎에 손을 얹었다. 톰이 그의 무릎에 치유에너지를 보내자 루치오는 통증이 서서히 가시는 게 느껴졌다. 루치오는 통증과 함께 그에 대한 반감도 마음속에서 사라졌다.

"재발할지 모르니 당분간 조심해야 합니다." 톰의 말에 루치오는 자신도 모르게 고개를 끄덕였다. 루치오가 얼떨떨한 표정으로 천막을 나가자, 교황이 나지막한 목소리로 말문을 열었다.

"톰은 정말로 꿈속에서 본 모습과 똑같습니다. 먼 길을 오셨는데 큰 문제는 없었습니까?"

"보내주신 차량에 폭발사고가 있었습니다. 운전사는 도망갔고요." 톰의 대답에 교황은 몹시 놀랐다.

"어찌 그런 일이? 정말 죄송합니다. 다친 곳은 없으십니까? 대체 누가 그런 일을 꾸몄을까요?"

"천막은 방음이 잘 안 되니, 누구라도 듣는 건 가능합니다만, 제가 여기오면 제일 싫어할 사람은 누구입니까?" 톰이 교황에게 의문을 제기했다.

"글쎄요. 체제가 바뀌는 걸 싫어할 사람이겠죠. 또 비리가 있는 사람들도 있습니다."

"루치오 추기경이 톰을 유난히 싫어하는데 그가 배후일 가능성은 없습니까?" 마크가 대화에 끼어들어 의문을 제시했다.

"루치오가 과격한 면이 있어도, 메시아를 해할 정도로 어리석지는 않습니다만." 머리가 복잡해진 교황이 말끝을 흐렸다.

"루치오가 저를 위압적으로 대한 건 맞지만, 그가 배후가 아니라고 생각합니다." 톰은 이미 루치오의 눈빛에서 모든 걸 읽었기에 그를 배후에서 제외했다.

그때 클레멘스 추기경이 왔다는 근위병의 말이 밖에서 들렸다. 천막 안으로 들어온 클레멘스는 톰을 발견하고 그에게 다가가 두 손을 잡았다.

"당신의 조언으로 바티칸 사람들이 목숨을 구할 수 있었습니다. 뭐라고 감사를 드려야 할지 모르겠습니다." 클레멘스는 눈물까지 글썽이며 고마워했다. 톰은 그의 눈빛을 보고 진심임을 알았다. 마크가 눈짓으로 클레멘스를 지목하자, 톰은 아니라고 고개를 저었다.

"아닙니다. 제 말을 믿어준 추기경님의 공이 더 큽니다. 저 역시 추기경님께 무한한 감사를 드리고 싶습니다."

톰의 말에 클레멘스는 감격에 겨워하다가, 조나단을 발견하고 몹시 반가워했다.

"작가님, 정말 오랜만입니다. 스리나가르도 큰 지진이 있었다고요?"

"오랜만입니다. 추기경님. 큰 지진이 있었지만, 톰 덕분에 피해를 줄

일 수 있었습니다."

"두 분이 서로 잘 아시는군요." 톰이 이사벨에게 묻자 이사벨은 미소를 지으며 설명했다.

"추기경님이 삼촌 책을 읽어보시고 스리나가르로 직접 찾아왔었거든요. 그때 제가 추기경의 눈에 띄었죠. 그런데 저 두 분이 만나면 수다가 장난이 아니에요. 그때도 이틀 밤낮을 꼬박 새워가며 대화를 하더라고요."

톰은 이미 알고 있었다. 이천 년 전 베드로와 사도 요한이 처음에는 서로 서먹서먹했다가, 시간이 흐르자 둘도 없는 친구가 된 사실을 말이다. 유대의 방방곡곡을 순례할 때 그 둘은 밤마다 모닥불 앞에서 그렇게 수다를 떨었었다. 그러다가 이 둘이 논쟁이 붙으면 너무 시끄러워서 다들 피하곤 했다. 나중에는 톰이 너무 힘들어서 삼일 묵언을 시킨 적도 있었다. 톰은 그때의 기억이 떠오르자 고개를 부르르 떨었다.

"왜 그래? 톰." 마크의 물음에 톰은 애매한 미소를 지었다. 톰은 모두에게 가까이 오라고 하고 속삭이듯 말했다.

"어쨌든 교황청 내에 우리를 해하려는 세력이 있다는 걸 알았으니, 우리의 동선을 최대한 비밀로 해야겠습니다. 그리고 저의 실체를 증명하기 위해 유체이탈을 보여 드리겠습니다."

"그게 정말 가능합니까?" 조나단이 엄지로 안경을 올리며 호기심 가득한 얼굴로 변했다.

"물론 가능합니다. 하지만 원하지 않는 분은 말씀하세요." 톰이 교황과 일행들을 쳐다보며 말하자, 교황은 주저 없이 말했다. "저는 좋습니다. 영혼의 세계를 직접 볼 수 있다니 정말 꿈에 그리던 일입니다."

그리하여 그들은 천막 한쪽 바닥에 둥글게 모여 앉았다. 톰은 그들에게 눈을 감고 지혜의 눈에 집중하라고 말했다. 하지만 최근에 겪은 충격적인 일로 인해 좀처럼 마음이 안정되지 않는 분위기다. 이를 눈치 챈 톰이 교황부터 지혜의 눈을 엄지손가락으로 마치 수정 구슬을 닦듯이 정성스럽게 문질렀다. 교황은 한순간 자신의 몸이 가벼워지는 것을 느끼고 눈을 떴다. 교황은 놀라 주위를 둘러봤는데, 또 다른 자신이 땅바닥에 눈을 감고 앉아있었다. 그는 자신이 영혼의 상태임을 자각하고 톰을 쳐다봤다. 놀랍게도 눈앞의 톰이 황홀할 정도로 밝은 황금빛을 발하고 있었다. 클레멘스, 이사벨, 마크, 조나단도 몸을 빠져나온 영혼의 모습이 되어 어리둥절한 상태다.

"자 이제 나를 따라오세요." 톰이 천막을 뚫고 하늘로 올라가자 일행들도 그를 따라 위로 올라갔다. 클레멘스와 조나단은 자신이 자유롭게 하늘을 날 수 있다는 게 신이 나는지 서로 보며 탄성을 연발했다.

그들의 아래로, 한때 웅장하고 아름다웠던 바티칸과 로마의 건물들이 무너지고 부서져 폐허가 된 모습이 적나라하게 드러났다. 저 멀리 먹구름 사이로 신의 손가락 같은 한 줄기 빛기둥이 내리비추고 있다. 그 빛줄기 속으로 날개 달린 천사들이 숨진 사람들의 영혼을 인도하고 있다. 빛줄기 속에 들어선 영혼들은 하늘로 서서히 올라가다 반짝이며 사라졌다. 톰은 죽은 이의 영혼이 천상으로 오르는 모습을 보며 가슴 속 슬픔이 조금 누그러졌다.

"정말 천사가 있네요." 이사벨이 빛 속에서 반짝이는 천사에게 홀린 듯이 말했다.

"톰, 왜 우리는 평소의 모습에 가까운데, 넌 황금빛으로 빛나는 거지?" 마크는 톰을 보고 부러워하며 말했다.

"나는 신성을 되찾았기 때문이야." 톰의 목소리는 마치 하프 소리처럼 아름다웠다.

아래를 보던 교황이 화살촉 꼬리를 가진 악마들을 발견했다. 그들은 때 묻고 남루한 영혼들을 창으로 찌르며 한곳으로 몰았다. 악마들은 영혼들을 마치 대형 싱크 홀처럼 큰 불구덩이로 데려가 마구 밀었다. 영혼들은 비명을 지르며 끝이 보이지 않는 불구덩이 속으로 떨어졌다.

"저들은 누구입니까?" 교황이 그 광경을 보고 놀라서 물었다.

"지옥에서 마중 나온 악마들입니다."

"우리가 저 영혼들을 도와줘야 하는 거 아니냐?" 마크가 다급하게 물었다.

"스스로 지은 죄를 갚아야 하므로 어쩔 수 없습니다."

"그게 무슨 소리야? 저들이 기독교도라면 당연히 도와야지. 너는 메시아잖아."

"사람들이 잘 못 알고 있는 게 있어. 나는 이 천 년 전에 입문자의 원죄만 갚았는데도 십자가에 못 박혀 죽을 뻔했지. 그 정도로 한 사람 한 사람의 죄의 무게는 엄청나게 무거워. 지금의 나는 아직 그 정도의 역량밖에 없어." 톰은 자신의 초보 단계의 능력을 시인하며 안타까워했다.

"괜찮아. 능력을 키우면 되잖아. 그럼 언제 능력을 키울 거야?"

"그게 쉽지 않아. 가장 에너지가 좋은 곳을 찾아 아주 오랫동안 명상해야 해. 성경에 나와 있는 광야에서의 명상이 바로 그거야. 그런데 지금은 상황이 급박해서 자리를 비울 수가 없어."

"그렇구나."

"그리고 당장 해결해야 할 문제가 생겼어. 여러분, 지금부터 내가 명상 중에 봤던, 다음 위기를 보여 드릴게요." 톰의 말과 동시에 그들 앞에 초대형 화면이 나타났다.

화면에는 미 국방성에서 자체개발 중인 인공지능 슈퍼컴퓨터가 보였다. 인공지능 컴퓨터는 테러방지라는 핑계로 전 세계 전산망을 해킹할 프로그램을 만들고 있다.

슈퍼컴퓨터는 밤낮없이 작동하며 자가 학습을 통해 지능과 능력을 높여가며 다양한 해킹방법을 만들었다. 그 후 슈퍼컴퓨터는 미국의 실전 배치된 미사일의 발사 시스템도 모두 장악하지만, 이 사실을 아무도 알지 못했다. 어느 날 러시아에서 오로라 연구를 위해 소형 로켓을 발사하는데, 인공지능 컴퓨터는 적대국의 미사일 공격으로 오인한다.

슈퍼컴퓨터는, 최고 책임자의 얼굴과 목소리를 날조하여 미사일 관리자들에게 전화해 발사를 지시했다. 발사지시가 떨어지자, 항공모함과 미사일 기지의 핵미사일들이 불을 뿜으며 날아올랐다. 표적은 모스크바를 비롯한 러시아 주요 도시와 원자력 발전소다.

이 사실을 뒤늦게 안 미 국방성에서 갖은 수단을 써서 핵미사일의 진로를 바꿔보려고 시도했다. 하지만 슈퍼컴퓨터의 방해로 모든 시도는 실패했다. 러시아 정부도 보복 차원으로 미 본토를 향해서 수백 개의 핵미사일을 발사했다. 러시아의 핵미사일 목표 중에는 미국의 원자력 발전소들이 포함되어 있었다.

잠시 뒤 모스크바에 있는 러시아 연방정부 청사에 핵폭탄이 떨어졌다. 핵폭탄이 터지는 순간 모스크바 시민은 눈이 멀 정도로 밝은 빛을 목격했다. 태양보다 뜨거운 불덩어리가 공중에 떠오르며 건물은 녹아내리고 거리의 사람들은 순식간에 재가 되어 부서졌다. 뒤이어 열과 방사능을 동반한 핵폭풍이 초속 340m로 퍼져 나가며 도심의 모든 것을 날려버렸다.

그리고 백악관과 미국국방부 펜타곤 빌딩에도 러시아의 핵폭탄이 떨어졌다. 큰 건물들은 풍비박산 나고 사람들은 비명을 지르다가 뜨거운 불길 속으로 사라졌다. 곧 러시아와 미국본토의 하늘에는 수많은 큰 버섯구름이 피어오르며, 지구는 점점 불덩어리로 변해갔다.

"이게 앞으로 일어날 일이라는 거지?" 마크가 멍한 표정으로 톰에게 물었다. 톰은 말없이 고개를 끄덕였다.

"그럼 우리가 뭘 해야 하죠?" 교황의 목소리에 다급함이 실려있다.

"최대한 빨리 미국 대통령을 만나야 합니다. 그리고 추기경 회의도 소집해 주세요." 추기경 회의를 소집해달라는 톰의 말에 교황은 살짝 당황했다.

"소집만 해주시면 제가 그들을 설득해보겠습니다." 톰의 얼굴에 굳은 의지가 피어났다.

제18화 두오모

며칠 뒤, 백악관 접견실에 교황과 톰 일행이 대통령을 기다리고 있다. 교황과 클레멘스가 소파에 자리했고 톰 일행은 소파 뒤에 정장 차림으로 서 있다. 그들의 맞은편에는 백악관의 비서진 세 명과 두 명의 보안요원이 자리하고 있는데, 분위기가 조금 서먹하다.

"난 요즘 꿈을 꾸고 있는 거 같아." 마크가 톰에게 속삭였다.

"왜?"

"친구가 갑자기 메시아가 되니, 바티칸도 구경하고 스리나가르에서는 납치까지 당하더니, 이제는 백악관에 와 있잖아." 마크의 말에 톰이 피식 웃었다.

남미 혈통의 보안요원이 다른 요원에게 톰 일행을 보고 속삭였다.

"인도계 보좌관이 많아졌네?"

"그러게. 요즘은 교황청도 변하나 봐."

그때, 백발의 대통령이 바쁜 걸음으로 접견실로 들어왔다. 그는 교황이 내민 손을 두 손으로 꼭 잡고 인사말을 주고받았다.

"대지진으로 얼마나 심려가 크십니까? 미국 정부가 파견한 소방관과 의료진이 조금이라도 도움이 되었으면 합니다."

"정말 감사하게 생각합니다. 대통령님의 신속한 도움 덕분에 재난복구가 더욱 빨리 진행되고 있습니다."

"더 도움이 필요한 부분이 있다면 편하게 말씀하세요."

"대통령 각하, 오늘은 다른 말씀을 드리려고 왔습니다. 제 말을 마음을 활짝 열고 들어 주십시오. 로마 대지진은 인류에게 닥칠 큰 재난의 전조에 지나지 않습니다. 성직자로서 거짓 없이 말씀드리겠습니다. 최근에 만난 선지자께서 이미 로마 지진을 예언하셨습니다." 교황의 말에 대통령이 살짝 당황했다.

"그리고 다음 위기는 미국 국방성의 인공지능 컴퓨터의 오작동으로 핵전쟁이…" 교황의 설명이 진행될수록 대통령의 표정은 묘하게 변했다. 백악관 보좌진도 당황한 듯 서로 눈빛을 교환했다. 교황의 말이 끝나자 대통령은 자세를 고쳐 앉으며 길게 한숨을 쉬었다.

대통령은 대지진의 충격과 노환으로 교황의 정신에 문제가 생긴 게 아닌가 하는 의심을 했다. 하지만 교황의 얘기는 국가안보 이상의 중요성을 띠고 있기에, 바로 확인해 보기로 했다.

"성하의 말씀대로 국방성 인공지능 컴퓨터에 문제가 있는지 바로 확인해 보겠습니다."

그는 교황이 지켜보는 가운데, 직접 국방부 장관에게 전화를 넣어 확인요청을 했다.

"국방부 장관이 확인 후 바로 전화를 준다고 했습니다. 성하. 그런데 아까 말씀 중에 언급하신 선지자에 대해서 좀 여쭤봐도 되겠습니까?"

"아직은 그분의 정체에 대해서 말씀드릴 수 없습니다. 곧 공식적으로 발표할 예정입니다." 교황의 대답에 대통령은 고개를 갸웃했다. 탁자 위 전화기가 울리자 비서가 수화기를 대통령에게 가져왔다. 대통령은 수화기를 들고 상대방의 말에 집중했다.

"……"

"네 잘 들었습니다. 국방부 장관님이 긴급해결 팀을 만들어 이 문제를 꼭 해결해 주시기 바랍니다. 제게는 한 시간 단위로 진척상황을 알려주세요. 네 그럼 부탁합니다." 대통령은 통화가 끝나고 믿을 수 없다는 표정으로 교황을 쳐다봤다. 교황은 대통령의 표정에 촉각을 곤두세웠다.

"놀랍게도 국방부 장관의 말씀으로는, 교황님의 예측처럼 슈퍼컴퓨터가 국방부의 중요자료를 해킹한 증거를 찾았다고 합니다. 그리고 방금 긴급해결 팀을 만들어 문제 해결에 들어갔다고 합니다." 대통령의 말에 교황은 안도의 숨을 쉬었다.

"교황님은 지금 핵전쟁을 막으신 겁니다."

대통령과 백악관 비서진은 믿기지 않는다는 표정으로 교황에게 존경의 손뼉을 쳤다. 마크는 소리 없는 아우성으로 기쁨을 표현했고, 이젠 이사벨이 톰을 보는 시선에도 존경이 담겨있다. 톰은 알 듯 모를 듯 미소를 살짝 띤다.

"교황님 다음 일정이 어떻게 되십니까? 제 전용기를 이용해 주시면 영광이겠습니다."

"마음을 열고 들어주셔서 정말 감사합니다. 대통령님. 저희는 삼일 뒤에 피렌체에서 열리는 추기경 회의에 참석해야 합니다. 가능하시겠습니까?"

"물론입니다."

몇 시간 뒤 톰 일행은 미 대통령 전용기 보잉을 타고 대서양 항공을 건너고 있다. 그들은 비행기 앞쪽에 자리한 대통령 집무실에 둥글게 모여 앉아있다. 교황은 미국 대통령을 만나기 위해 바티칸을 떠나기 전에 추기경 회의를 소집했었다. 회의 장소는 이탈리아 중부에 있는 피렌체 대성당이다. 그리고 그는 피렌체 대성당을 바티칸을 대신할 임시교황청 본부로 정했다. 기내전화로 루치오와 통화를 한 교황이 일행에게 회의 소식을 전했다.

"모레 피렌체 대성당에서 있을 추기경 회의에 건강상의 이유로 여섯 분이 못 오신다고 연락이 왔습니다. 현재 회의참석 예상인원은 221명 입니다."

톰 일행은 추기경 회의 전날 피렌체에 도착했다. 그들은 피렌체 대교구에서 내어준 승합차를 타고 대성당 앞에 도착했다. '두오모'라는 이름으로 더 유명한 대성당의 청동 문 위에는 왼손에 지구를 든 예수 벽화가 그려져 있다. 긴 창을 들고 서 있던 중세복장의 근위병들이 교황을 보고 크나큰 청동 문을 양쪽에서 활짝 열었다.

고딕 양식인 성당 내부의 끝에 몇 명이 서 있다. 교황은 상대가 누구인지 금방 알아보고 두 팔을 벌렸다.

"세르지오 추기경! 일찍 도착하셨군요."

"네 성하, 출장은 잘 다녀오셨습니까?"

"네, 신의 가호로 잘 다녀왔습니다." 그들이 인사말을 나누는 동안 톰은 세르지오를 유심히 훑어봤다. 그리고 그와 시선이 마주치자 톰의 표정이 잔뜩 굳었다. 마크가 그 모습을 지켜보며 의아해했다. 세르지오는 만면에 웃음을 띠고 기쁜 듯이 옆 사람을 소개했다.

"성하, 소개할 분이 있습니다. 여기 이분은 놀랍게도 예수 그리스도의 현신입니다." 세르지오 옆에 있던 검은 양복에 빨간 넥타이를 맨 남성이 고개를 들었다. 그는 잘생긴 얼굴에 미소를 띠고 교황의 손에 키스했다. 교황과 톰 일행은 몹시 당황했다.

"카알이라고 합니다. 성하"

"반갑습니다. 카알. 그런데 세르지오 추기경은 이분이 왜 그리스도의 현신이라고 생각하십니까?"

"여러 증거가 있습니다. 첫째로 저분이 로마 대지진 직전에 지진을 예견하고 저와 많은 성도를 구하셨기 때문입니다. 또 지진으로 다친 성도들을 성령의 힘으로 그 자리에서 치료하셨습니다. 결정적으로 이분이 예루살렘 황금 사원의 공중에서 내려왔습니다. 그 장면의 동영상 조회 수가 장난이 아닙니다." 세르지오는 확신에 찬 목소리로 카알을 침이 마르게 찬양했다.

마크가 휴대전화로 검색해보니 유대 전통의상을 입은 카알이 하늘에서 내려오는 동영상이 정말 있었다. 영상 댓글에는 사람들이 하늘에서 내려온 그를 보고 메시아가 나타났다고 난리다. 이 동영상을 같이 본 조나단이 이사벨에게 속삭였다.

"뭐야? 메시아가 둘이야? 점점 재밌어지는데?"

"세르지오 추기경님, 정말 받아들이기 힘드시겠지만, 우리도 최근 메시아 한 분을 모시게 되었습니다. 톰 아니쉬크를 소개합니다." 톰은 세르지오에게 합장하고 카알에게 악수를 청했다. 카알은 재밌다는 표정으로 그와 악수했다. 톰은 카알의 눈을 통해 정체를 알려고 했다.

그런데 톰은 카알의 전생이 전혀 알 수 없었다. 톰은 교황에게 정중하게 부탁을 했다.

"성하, 잠시 둘만 대화를 나눠도 되겠습니까?" 톰의 말에 교황은 고개를 끄덕여 승낙했다.

"카알. 대화 가능합니까?" 톰이 카알에게 제의를 하자, 세르지오가 뭔가 불안한 눈치다. 카알은 세르지오에게 안심하라는 눈빛을 보내고 톰에게 대답했다.

"그럼 돔의 꼭대기에서 얘기할까요?"

카알의 제안에 톰은 꼭대기로 향하는 내부계단을 찾으려고 두리번거렸다. 그때 사람들의 탄성이 들렸다. 그가 돌아보니 카알은 이미 수십 미터 상공으로 치솟아 올라가고 있었다. 카알은 돔 내부의 그려진 '최후의 심판'의 일부처럼 보였다가 둥근 구멍으로 사라졌다.

톰은 당황하지 않고 천천히 공중부양을 해서 둥근 구멍을 빠져나왔다. 카알은 망루에서 먼 곳을 보고 있었다. 톰의 인기척을 느낀 그는 돌아보지 않고 말했다.

"톰은 대천사 가브리엘이 발굴한 사람입니까?"

"네, 그렇습니다만 그걸 어떻게 아시죠?"

"지구에는 비밀이 없죠."

"카알도 인류를 구하기 위해 여기에 왔습니까?"

"나는 우주 법칙이 어긋나는 걸 원치 않습니다. 인류 문명은 이미 실패했습니다. 나는 그들이 죽음으로 죄의 대가를 치르고, 다른 행성에서 원시문명부터 다시 시작하기를 원합니다."

"인류가 생태계 파괴와 자연훼손을 가져왔지만, 소수의 선한 사람까지 죽음으로 대가를 치른다는 건 너무하지 않습니까?"

"공동체의 일원이니 같이 책임을 져야죠."

"그럼 이곳에 온 이유가 뭡니까?"

"톰에게 할 말이 있어서 왔습니다."

"내게?"

"내가 누군지 알죠?"

"전생의 흔적이 없는 거로 봐서는 혹시 신?"

"빙고! 난 우주의 반을 지배하는 신입니다."

"역시 그렇군요."

"인류에 대한 미련을 버리세요. 그럼 내가 지배하고 있는 우주 일부를 드리겠습니다. 그러니 이 불가능한 일에서 손 떼세요."

"그런데 우주의 반을 가지고 있는 신이 왜 이 작은 행성에 집착하는 겁니까?"

"난 그저 우주 법칙에 예외가 생기는 걸 방지하고 싶을 따름입니다."

"아니죠. 제가 설명해볼까요?"

"그러시던가."

"문명의 도약적 발전과 더불어 영적으로 진보한 인류가 당신의 존재와 계략을 알게 돼서 당신의 손아귀에서 벗어나는 걸 두려워하는 거죠. 그래서 진실을 알리는 영적 스승들을 박해하고 살해했죠."

"답이 별로 참신하지 않네요. 그게 다입니까?"

"그럼 뭐죠?"

"지구는 이 은하의 문제 인물들을 한데 모아놓은 수용소 행성입니다. 물론 소수의 반체제 인사나 지식인들도 있지만, 대개는 그냥 죄인들이죠. 나는 그들의 탈주를 막을 의무가 있습니다. 그런데 과학 문명의 발달로 그들이 지구를 벗어나려고 하고 있죠. 그런 일은 절대 일어나서는 안 됩니다. 인류는 지구와 마찬가지로 다른 행성도 쓰레기장으로 만들 겁니다. 인류 같은 바이러스가 진화하면 우주가 쑥대밭이 되는 건 시간문제입니다."

"그렇다고 그들 모두를 죽이는 건 아니죠."

"자! 이제 결정하시죠. 은하를 가질 것인가? 아님, 골칫덩이 인류와 운명을 같이 할 것인가?"

"제법 솔깃한 제안이었지만 나는 체질상 불가능에 도전하는 걸 즐깁니다."

"그래요? 그럼, 보여 드릴 게 있습니다. 따라오시죠." 카알은 아까 빠져나왔던 돔의 구멍으로 걸어갔다. 톰은 거리를 두고 그를 따랐다.

돔의 바로 아래에는 교황 일행과 세르지오 일행이 이야기를 나누며 서 있다. 카알은 밑을 보며 게임을 즐기는 악당처럼 사악하게 웃었다.

"아래에 톰의 옛 동료가 보이네요. 당신이 가장 믿고 의지한 베드로, 요한복음을 써서 진실을 알린 사도 요한, 그리고 당신이 그토록 사랑했던 막달라 마리아, 친동생 같은 토마스, 그리고 지금 가장 필요한 인물 바울, 그들 중 한 명만 살려 드릴게. 자! 누구를 선택하실 건가요?" 톰은 카알의 협박에 피가 거꾸로 솟았다.

"난 이탈리아의 건축물을 정말 좋아해요. 사실 바티칸의 성당 건물도 부수길 결정하고 너무 가슴이 아팠소. 이 두오모도 내가 아끼는 건축물이지만, 어쩔 수 없지." 카알의 말이 떨어지기가 무섭게 벽돌들이 쩍쩍 갈라졌다. '최후의 심판' 그림 중 예수의 머리에서 발끝까지 벽이 길게 뜯겼다.

"제발 그러지 마!" 공포를 느낀 톰이 카알에게 애원했다.

"내가 최고신의 아바타를 직접 해치면 우주 법칙에 어긋나거든. 하지만 주변 인물은 손봐줄 수 있지. 빨리 결정해! 누굴 살려줄까?" 카알의 협박에 톰은 혼돈에 빠졌다.

"아니면 나와 함께 하던가!" 카알은 톰의 공포를 즐기고 있다. 톰은 식은땀을 흘렸다.

"잠깐만!"

"늦었어! 톰! 너 때문에 모두 다 죽게 됐어. 다 네 탓이야 톰!" 카알이 손을 뻗자, 벽돌들이 순식간에 와르르 무너지며 돔 아래로 떨어졌다.

"피해!"

톰도 아래로 몸을 던졌다. 아래의 사람들이 위를 쳐다봤다. 톰은 염력으로 낙하하는 벽돌들을 다른 방향으로 튕겨냈다. 그는 추락 중에도 벽돌 이동에 에너지를 다 썼다. 결국, 그는 추락속도를 줄이지 못하고 성당 바닥에 곤두박질쳤다. 톰의 머리와 어깨가 바닥에 먼저 부딪혔다. 그는 충돌로 빗장뼈가 부러지는 아픔과 함께 파열음을 들었다. 그의 몸은 가속을 이기지 못하고 바닥에 몇 바퀴 더 굴렀다.

순식간에 일어난 추락사고에 밑에 있던 사람들은 당황했다. 마크가 쓰러진 톰에게 달려왔다. 힘없이 널브러진 톰의 뒤통수에서 피가 뿜어져 나오며 바닥을 붉게 적셨다. 마크는 이사벨에게 구급차를 불러달라고 소리쳤다. 그때 카알이 위에서 내려와 땅 위에 사뿐히 섰다.

"카알! 도대체 무슨 일입니까?" 당황한 교황이 물었다.

"성하가 보신 대로 갑자기 벽돌이 무너졌는데, 톰이 목숨을 바쳐 여러분을 구한 겁니다. 워낙 순식간에 일어난 일이라 저도 어쩌지 못했습니다." 카알의 말이 미심쩍지만, 실제 상황이 그러했기에 교황은 더 추궁할 수 없었다.

"그럼 톰을 낫게 할 수는 없습니까? 치유의 능력도 있다면서요?" 마크가 다급한 심정으로 애원했다.

"글쎄요. 한번 볼까요?" 카알은 톰에게 다가가 손으로 톰의 몸을 훑었다. 마크는 카알의 수상한 행동을 지켜봤다.

"보시다시피 후두부에 뇌 손상을 입어 의식이 없고, 오른쪽 빗장뼈가 부러졌군요. 이렇게 심각한 상황에서는 저도 조심스러울 수밖에 없습니다. 저보다는 현대의학으로 치료하는 게 나을 겁니다." 마크는 카알의 말이 믿기지 않았다.

"사안이 심각한데 경찰을 부를까요?" 이사벨이 교황에게 묻자, 세르지오 추기경이 불쑥 나섰다.

"톰이 의식을 되찾으면 사고 경위를 물어보면 어떨까요? 여기 계신 카알님은 하늘에서 내려오셨기 때문에 신분확인이 되지 않습니다."

교황은 세르지오의 말도 일리가 있기에 당분간 내부조사만 하기로 했다.

제19화 혼돈

 잠시 후 응급요원들이 들것을 들고 성당으로 뛰어들어왔다. 그들은 톰의 호흡을 확인하고 조심스럽게 들것에 옮겨실었다. 응급차에 마크와 이사벨이 동행했고, 차는 가톨릭 재단이 운영하는 병원으로 향했다.
 대기하고 있던 의료진이 톰을 곧바로 수술실로 옮겼다. 톰은 다섯 시간이 넘는 긴 수술 후, 중환자실로 옮겨졌지만, 며칠 동안 의식이 돌아오지 않았다.

 그사이 두오모의 붕괴사고로 인근에 있는 산타 크로체 성당에서 추기경 회의가 개최되었다. 산타 크로체 성당은 미켈란젤로, 갈릴레이 등 유명인의 무덤이 있는 곳으로도 유명하다. 회의에서 바티칸 재건과 규모, 예산에 대한 전반적인 내용을 협의했다. 교황은 회의에서 재림 예수에 대한 언급을 전혀 하지 않았다.

 혼수상태에 빠진 톰의 병상을 마크, 이사벨, 조나단이 돌아가며 24시간 옆을 지켰다. 교황과 추기경들이 한 번씩 문병을 왔다 갔다. 톰이 열흘이 지나도록 의식이 없자 마크의 시름은 깊어갔다. 이사벨은 병간호 시간 말고는 병원 기도실에서 톰이 되살아나기를 기도했다. 그녀는 톰을 의심하고 차갑게만 대했던 걸 후회했다.
 어느 날 아침, 교황이 보낸 전문 간병인이 톰의 병실을 찾아왔다. 중년의 그녀는 마크가 톰의 곁을 지키고 있을 때 나타났다. 그녀는 화려한 꽃무늬 원피스를 입고 양손에 과일바구니와 간편식을 잔뜩 들고 왔다. 그녀는 마크에게 이제부터 자신이 전적으로 간호할 테니 좀 쉬라고 말했다. 중저음의 목소리를 가진 그녀는 몸집도 좋아서 힘 있고 노련해 보였다.

그때 톰의 보호자를 찾는 방문객이 있다는 접수대의 전화가 왔다. 마크가 자리 비우기를 망설이자, 그녀는 자신이 잠시 병상을 지킬 테니 다녀오라고 말했다. 마크는 안심하고 바쁜 걸음으로 복도 끝 엘리베이터로 갔다. 마크가 사라지자, 그녀는 윗주머니에서 작은 주사기를 꺼내 수액이 담겨있는 주머니에 다가섰다. 머리에 붕대를 감고 누워있는 톰은 마치 깊은 잠이 든 양 미동조차 없다. 톰의 상태를 확인한 그녀는 주사기의 안전 뚜껑을 열고 수액 주머니에 찔러 투명한 액체를 주입했다.

그때 누군가 그녀의 팔목을 덥석 잡았다. 화들짝 놀란 그녀는 팔목을 잡은 사람을 봤다. 놀랍게도 의식불명이던 톰이 핏발이 선 눈빛으로 그녀를 노려보고 있었다.

당황한 그녀는 톰에게 달려들어 그의 목을 조르기 시작했다. 톰은 버둥대다가 그녀의 머리칼을 잡았다. 그러나 그의 손에 잡힌 건 벗겨진 가발이었다. 가발을 벗은 그녀의 모습은 남자에 가까웠다. 아니 남자였다. 톰이 상대가 남자인 걸 알고 흠칫 놀라는 사이 놈은 더욱더 목을 세게 졸랐다. 대항하던 톰은 오른쪽 빗장뼈에 충격이 가자 온몸에 힘이 빠졌다. 그는 왼손을 겨우 뻗어 무기를 찾으려고 더듬거렸다. 톰은 과일바구니에서 사과를 잡아 놈의 귀를 후려쳤다. 그가 놀라서 물러서자 톰은 과일바구니에서 잡히는 대로 그에게 던졌다. 다급해진 그는 문을 열고 도망쳤다. 톰은 가쁜 숨을 몰아쉬며 팔목에 부착된 호스를 빠르게 떼어냈다. 톰이 비틀거리며 복도로 나왔다. 복도 끝에 놈이 꽃무늬 치마를 치켜들고 우스꽝스럽게 팔자걸음으로 뛰어가고 있다. 톰의 뒤쪽에서 승강기 문이 열리고 마크가 걸어 나오다 톰을 발견했다. 마크는 기뻐서 울먹거렸다.

"누군가 나를 독살하려고 했어." 톰의 말에 마크는 깜짝 놀라 두리번거렸다.

"웬 여자가. 아니 여자로 분장한 놈이 내 수액에 주사기로 이물질을 주입했었어." 톰이 빗장뼈에 통증을 느끼고 괴로워하자 마크가 부축해서 병실 안으로 들어갔다.

　마크는 교황에게 전화해서 자초지종을 설명했다. 교황은 자신이 간병인을 보낸 사실이 없다고 했다. 그는 곧 그놈을 수배하고 톰의 거처를 안전한 곳으로 옮기겠다고 제의했다. 하지만 톰은 급히 갈 곳이 있다고 교황의 제의를 거절했다. 톰은 서둘러 퇴원하고 마크와 함께 잠적했다.

　며칠 뒤, 빙하가 녹은 차가운 물이 세차게 흐르는 강고트리의 강가를 두 사람이 걸어가고 있다. 팔 보호대를 한 톰이 앞장서 걷고 있고, 그 뒤를 초대형 배낭을 멘 마크가 헐떡대며 따라가고 있다.

　"아우~ 어지러워. 굳이 여기까지 온 이유가 뭐야?" 고산병으로 숨이 턱 밑까지 찬 마크가 따지듯이 물었다.

　"카알은 중간계 신이야. 저번처럼 맥없이 당할 수는 없어. 신과 대적하려면 방법을 찾아야 해. 예수가 광야에서 사십 일간의 단식기도를 했듯이, 나도 이곳에서 답을 찾아야 해."

　"이 추운 곳에서 단식하며 기도를 하겠다고? 머리는 깨지고 빗장뼈는 부러진 환자가? 차라리 자살하러 왔다고 해라. 안돼! 절대 안 돼!" 마크는 톰의 무모한 계획에 완강하게 반대했다. 하지만, 톰은 묵묵하게 걸음을 옮겼다.

　이윽고 톰은 데브 무니의 동굴 앞에 도착했다. 마크는 배낭을 등에 진 채로 땅바닥에 벌렁 누워 거친 숨을 몰아쉬었다. 주인을 잃은 동굴 안은 썰렁하기 그지없고 옹달샘도 말라 있었다. 톰은 데브 무니의 투박한 모습을 떠올리며 회상에 젖었다.

　"마크! 부탁이 있어."

　"이젠 네가 무슨 말을 할지 겁부터 난다. 말하지 마! 제발 말하지 마." 마크는 이제 손사래를 치며 경기를 했다.

　"돌로 동굴 입구를 막을 거야. 좀 도와줘." 톰은 팔 보호대를 풀고 굳은 어깨를 매만졌다.

"나더러 네 동굴 무덤 만드는 걸 도와달라는 거야?"

"온전히 집중하기 위해서 꼭 필요해. 사람의 접근도 막아야 하고."

"도대체 며칠 동안 단식기도를 할 생각이야?"

"카알을 이길 답을 찾을 때까지."

"그럼 답을 못 찾으면 아예 안 나올 생각이야?"

"그와 대적할 방법이 없으면, 난 있으나 마나 한 사람이야."

"네가 독한 줄은 내가 진작부터 알고 있었지만, 이 정도일 줄 몰랐다. 친한 친구한테 돌무덤이나 만들게 하고." 마크는 여전히 투덜대며 반항했지만, 그의 눈은 적절한 돌무더기를 찾고 있었다. 톰이 동굴 아래에 내려가 큰 돌을 왼손으로 주우려고 용을 섰다. 그러자 마크가 그 돌을 빼앗았다.

"그나저나 빗장뼈는 좀 괜찮아? 그냥 신통으로 돌을 옮기지."

"아! 그 방법이 있었지. 그럼 네가 돌을 골라오면 내가 쌓을게."

"너 추락사고 때 뇌세포도 많이 죽은 거 같은데?" 마크는 동굴 아래에서 바위에 가까운 큰 돌을 안아 올리며 말했다.

"아냐! 내가 아직 평범한 사람이라고 착각해서 그런 거야." 톰은 마크가 든 바위를 염동력으로 들어 올리려고 애쓰며 대답했다. 그러자, 바위가 두둥실 떠올라 동굴 입구로 천천히 날아갔다.

"그동안 나는 어디에 있을까?"

"너는 동굴이 보이는 곳에 텐트를 치고 나를 지켜줘."

"내가 이렇게 돌을 나르고 있으니, 마치 스승에게 시험받는 밀라레빠 존자가 된 기분이야. 너를 믿어야 하는데 난 왜 이렇게 겁이 날까?"

밀라레빠는 티벳의 유명한 수행자로서 스승이 그에게 돌로 집을 지으라고 하고 철거하기를 여러 번 하는 성격 테스트 시험을 했다.

그들이 동굴 입구에 돌을 수북이 쌓을 때 즈음, 어둑어둑해졌다. 마크는 서둘러 입구 앞에 작은 텐트를 치고, 톰은 저녁 식사로 즉석 차파티와 카레를 데웠다. 그들이 저녁 식사를 끝낼 즈음 진청색 밤하늘에는 크고 작은 보석 같은 별들이 반짝이며 모습을 드러냈다. 톰은 등산용 잔에 든 홍차를 홀짝거리며 별들을 응시했다.

"무슨 생각해?" 마크가 코펠의 물기를 닦으며 물었다.

"난 별을 보면 우리가 광활한 우주 속에 살고 있다는 느낌이 들어. 지금은 우리가 어떤 진한 인연이기에 이곳에 같이 있나 하는 생각도 들고."

"나도 비슷한 생각을 해. 나와 안 어울리는 신문 방송과를 가서 너를 만난 것도 그렇고. 지나온 삼 주일이 하도 다사다난해서 현실이 맞나 싶기도 하고." 마크의 푸념에 톰은 미소를 지었다.

"마크, 이 두 가지 중에 어떤 죽음을 맞이하고 싶어?"

"어떤 죽음?"

"세상이 종말의 위기에 이르렀는데 아무것도 모르고 있다가 갑자기 죽는 경우와 죽음을 예견하고 준비할 수 있는 경우 중 어느 쪽을 택하고 싶어?"

"음. 정서적으론 힘들겠지만 죽음을 준비할 수 있는 경우가 낫지 않을까?"

"그래. 너의 영혼은 후자를 선택한 거야."

"그렇군. 갑자기 내게 소중한 기회를 준 네게 감사하고 싶어지는데?"

"감사는 필요 없고 그냥 내 곁에 있어 줘." 톰이 마크의 어깨에 가늘고 긴 손을 얹으며 말했다.

다음날 새벽부터 톰은 사람의 눈을 피해 염동력을 이용해서 입구의 돌을 차근차근 쌓아 올렸다. 마크가 눈을 떴을 때는 이미 입구의 반 정도가 크고 작은 돌들로 마치 돌담처럼 가지런하게 쌓여있었다.

"언제 일어난 거야?" 마크는 눈을 비비며 물었다.

"일찍 잠이 깨서 미리 준비했어. 이제 들어가서 입구를 마저 막을 거야." 톰이 담담하게 말하자, 마크는 일어나 톰의 가녀린 몸을 껴안

고 등을 툭툭 쳤다. 마크는 인사말을 하고 싶었지만, 목소리에서 울음
이 배어 나올까 봐 아무런 말도 하지 않았다. 톰은 마크에게서 떨어져
두어 발짝 걷다가 공중부양으로 돌담을 넘어 동굴 안으로 넘어갔다.
그리고 남은 돌들을 한꺼번에 띄워 입구를 촘촘하게 막았다.

"네가 소리치면 들릴만한 곳에 있을 테니 필요하면 불러!" 마크는
목이 메는 걸 참고 크게 소리쳤다.

"때가 되면 내가 나올 테니 걱정하지 말고 잘 챙겨 먹고 있어." 톰
의 목소리가 동굴 안에서 나지막이 메아리쳤다.

톰은 어둠 속에서 입고 있던 모두 벗고 동굴 안쪽으로 걸어 들어가
가부좌를 틀고 앉았다. 그는 눈을 감고 지혜의 눈에 의식을 집중했다.
그의 감은 눈앞으로 가브리엘을 만났을 때부터 카알로부터 동료를 구
하려다가 추락한 기억까지 주마등처럼 지나갔다. 그는 질문을 던졌다.
'어떻게 하면 인류를 구할 수 있을까?'

마크는 동굴과 십여 미터 떨어진 곳으로 텐트를 옮기고, 텐트 속에서
동굴을 지켜봤다. 이틀 동안, 처음 보는 돌무더기가 신기한 듯 동굴
앞을 서성이는 사람들이 꽤 있었다. 하지만 다행스럽게도 동굴에 들어
가려고 시도하는 사람은 없었다.

삼 일 뒤, 마크는 식료품을 사려고 산 밑 상점가로 내려갔다. 마트
안 대형 텔레비전 앞에 많은 사람이 모여 있다.

"북극 메탄가스 대량 방출"이라는 대형 문구가 TV 화면에 먼저 보
였다. 화면에는 부글거리는 메탄가스가 나오는 땅과 해변이 번갈아 보
였고, 메탄가스가 시퍼런 불기둥이 되어 밤에도 계속 방출 중인 모습
도 보였다.

주된 내용은 북극 얼음이 지구 온난화로 녹아서 땅속과 물속에 고체
형태로 있던 메탄가스가 기체화되어 방출되고 있다는 뉴스였다. 메탄
가스의 정식명칭은 '메탄 하이드레이트'이며, 북극에는 지구를 수백

년 동안 태울 수 있는 엄청난 양이 있다고 했다. 패널로 나온 과학자는 현재 과학기술로는 가스 불을 끄기가 힘들다고 말했다. 이를 보던 사람들 모두 상당히 충격을 받은 모습이다.

마크는 식료품을 사서 텐트로 돌아왔다. 인류 멸망이 눈앞에 닥치자, 말할 수 없이 마음이 답답했다.

'톰에게 이 사실을 알려야 하나? 아니면 이미 알고 있을까? 톰이 이 무거운 난제를 해결할 방법을 알까?' 마크는 깊은 밤까지 잠 못 들고 여러 가지 생각을 하다가 텐트 밖으로 나왔다.

밤하늘에는 톰과 함께 봤던 은하수가 끝없이 펼쳐져 있다. 마크는 별을 보다가 답답한 마음에 울음을 토해냈다.

톰이 동굴에 들어간 지 일주일이 넘자, 마크는 슬슬 안달하기 시작했다. 그는 동굴 입구에 귀를 대고 기척을 살피기도 하고, 동굴 앞을 반나절 동안 서성이기도 했다.

제20화 하산

 며칠 뒤 새벽, 마크는 바위 구르는 우렁찬 소리에 잠을 깼다. 그는 벌떡 일어나다가 텐트 지붕에 머리를 박았다. 마크는 머리를 비비며 지퍼를 열고 밖으로 나왔다. 동굴 입구를 막고 있던 돌들이 흩어져 있고, 톰이 우뚝 서 있었다. 마크는 맨발로 허겁지겁 동굴로 뛰어갔다.
 동굴 앞에는 바짝 마른 톰이 형형한 안광을 내뿜으며 서 있었다. 톰을 가까이서 본 마크는 깜짝 놀랐다. 톰의 길고 곱슬한 머리칼과 수염이 모두 회색으로 변해 있었다. 톰은 마크를 보지 않고 땅만 바라보았다.
 "톰! 나야 마크! 알아보겠어?" 마크의 말에 톰이 뭐라고 작게 중얼거렸다. 다급해진 마크가 톰의 입 근처에 귀를 바짝 붙였다. 톰이 들릴락 말락한 목소리로 말했다.
 "목. 이. 말. 라."
 "그래. 기다려."
 마크는 텐트에서 코펠을 꺼내 개울로 달려갔다. 그가 개울물을 가득 채워 톰에게 돌아왔다. 코펠을 받아든 톰이 물을 벌컥벌컥 마셨다.
 "시원해!" 톰은 이제야 정신이 든 얼굴로 마크에게 소리쳤다.
 "톰! 혹시 북극에서 메탄가스가 대량 방출된 거 알아?" 마크의 말에 톰은 고개를 끄덕였다.
 "대책은 찾은 거야?"
 "응. 여기 휴대전화 안 터지지?"
 "상점까지 내려가야 가능할 거야."
 "핸드폰 가지고 상점에 가자."
 "유심칩 꽂아서 가져올게." 마크는 추적을 피하기 위해 유심칩을 빼놓았었다.
 "오래 앉아있었더니 다리가 너무 뻣뻣해. 나 먼저 내려갈 테니 따라와."

"걸을 수 있겠어?"

"천천히 가고 있을게."

눈알이 쑥 들어간 톰이 삐쩍 마른 다리로 허우적거리며 먼저 계곡을 내려갔다. 텐트로 돌아온 마크는 휴대전화를 찾아 유심칩을 꽂았다.

"저거 저러다 넘어진다. 야! 같이 가!" 마크는 아슬아슬하게 내려가는 톰을 보고 소리쳤다.

상점가로 내려온 톰이 휴대전화로 교황에게 전화를 걸었다. 교황은 그의 목소리를 듣고 몹시 반가워했다. 톰은 그에게 카알과 약속을 잡아달라고 부탁했다. 뜬금없는 톰의 부탁에도 교황은 쉽게 받아들였다.

며칠 뒤 오후, 깡마른 몸에 진청색 롱코트를 걸친 톰이 두오모 앞에 나타났다. 먹구름까지 잔뜩 낀 날씨라 그의 얼굴은 더욱 핼쑥해 보였다.

톰은 힘겹게 두오모 문을 밀고 들어섰다. 맞은편 끝에 서 있던 남자가 톰을 지켜봤다. 톰은 숨을 한 번 고르고, 절도있는 걸음으로 걸어갔다.

돔에서 떨어진 수십 개 벽돌이 바닥에 가지런하게 놓여있다. 벽돌들은 '최후의 심판' 프레스코화의 복원을 위해 보관 중이다.

거리가 가까워지자 톰의 눈에 카알의 오만한 표정이 보였다. 카알은 붉은 정장에 검은색 머플러를 두르고 있다. 톰은 속도를 늦추지 않고 그의 앞으로 다가갔다.

"오오~ 톰! 우리가 포옹할 사이는 아니잖아." 카알은 뒷걸음을 치며 여유 있게 웃었다.

"이건 저번 기습에 대한 복수다!" 톰이 빠르게 다가서며 카알의 정강이를 힘껏 걷어찼다. 카알은 처음 느끼는 뼈저림에 무릎을 잡고 껑충껑충 뛰었다. 이때 톰의 주먹이 카알의 우측 갈비뼈를 강타했다.

"이건 선지자들의 몫이고!"

카알은 숨을 쉬지 못하고 뒷걸음질을 쳤다.

"이건 네가 죽인 가족들의 몫이다."

톰은 카알에게 달려가 날아차기를 했다. 카알은 뒤로 몇 바퀴를 구른 뒤 벽에 처박혔다.

"내가 동굴에서 명상하다가, 내 부모와 조부모가 죽을 때 꿈에 나타나 헛소리하던 놈이 너란 걸 기억해 냈다. 맞지? 너!" 톰은 분노를 삭이며 말했다.

"지금에서야 용케도 날 알아보네? 내 말이 맞지? 네 부모와 조부모는 네가 메시아이기 때문에 희생된 거야. 너만 아니었으면 그렇게 비참하게 죽지도 않았어!"

카알은 벽에 기대앉은 체 여전히 톰의 화를 부추겼다. "어때? 숨 쉬는 게 쉽지 않지? 선지자들이 당했던 고통에 비하면 아무것도 아냐!" 카알은 한참 숨을 몰아쉬다가 겨우 일어났다.

"한낱 아바타가 이렇게 신을 구타해도 되나?" 카알은 머플러의 흙을 털며 빈정거렸다.

"내가 나쁜 소식을 들고 왔다."

"나쁜 소식?"

"내가 은하 재판소에 널 직권남용으로 고소했었어. 방금 판결 났다. 너는 이 시간부터 파직이다! 이 자식아!"

"고소? 추락하더니 영 맛이 갔구나."

"널 아무도 고소하지 못할 거로 생각했지?"

"네가 정말 미쳤구나!"

"네 파직 사유를 자세히 말해줄까?"

"유언이라고 생각하고 말해봐라!"

"지난 백 년 동안, 네가 지옥에 있던 죄인들을 모두 지구에 환생시켜 각종 범죄와 환경파괴를 유도한 정황이 모두 드러났다. 텅텅 빈 지옥이 바로 그 증거다. 그래도 할 말이 있느냐?"

"우주의 반을 다스리는 내가 이 작은 행성 하나 때문에 우주의 법칙을 어길 일이 없잖아. 말이 돼?"

"그건 수천억의 은하마다 하나씩 있는 지구들의 원본이 바로 이곳이 기 때문이지. 그 수천억 지구마다 지구인이 80억이 넘으니 어마어마 한 숫자지." 톰의 명쾌한 대답에 카알의 표정이 어두워졌다.

"나는 지구인들이 다른 행성으로 이주하는 걸 막으려고 했을 뿐이야. 그들은 위험한 바이러스거든!"

"형량을 줄이려거든 북극이나 원상태로 돌려놓지?"

"이봐! 잘 알잖아! 나도 되돌릴 수 없다는 걸. 지구 온난화는 누가 봐도 인류의 작품이야!" 카알은 사악한 미소로 응답했다.

"그럼 너 따위는 필요 없어! 곧 저승사자들이 마중 올 거야. 거기서 딱 기다려!"

톰은 카알에게 등을 보이고 걷기 시작했다. 그러자 카알이 염동력으 로 바닥에 있던 벽돌들을 톰의 뒤통수로 날렸다. 톰은 마치 뒤통수에 눈이 있는 듯, 벽돌들을 모두 튕겨냈다. 그리고 피식 웃으며 돌아봤다.

"내게 널 배웅할 기회를 줘서 고맙다. 카알!" 톰은 두 팔을 들어 천 장 벽돌을 모두 뜯어내 카알에게 쏟아부었다. 카알은 떨어지던 벽돌들 을 힘겹게 머리 위에 정지시켰다.

"네 덕분에 내가 돌을 옮기는데 아주 도사가 됐어. 이건 어때?" 톰 은 예수의 이마가 그려진 벽돌을 카알의 이마로 날렸다. 휘어져 날아 온 벽돌을 정통으로 맞은 카알은 뒤로 나가떨어졌다. 그러자, 허공에 있던 벽돌들이 그 위로 우르르 떨어지며 돌무덤이 만들어졌다. 자욱한 먼지 속에서 카알의 신음이 들렸다. 곧 카알이 상처투성이가 된 채 벽 돌 사이에서 기어 나왔다.

"나는 신이야! 너희와는 달라!" 산발이 된 카알은 미친 듯이 소리를 질러댔다.

"맞아! 넌 죽지 않기에 영원히 우주감옥에서 고통받을 거야. 너 때문 에 파직된 애들도 같은 감방이니 외롭진 않을 거야."

"고소를 취하해줘! 나와 이 우주를 같이 다스리자고. 아니 네가 다스려! 내가 보좌할 테니까. 너는 최고신의 아바타니까 그럴 자격이 충분히 있어. 이렇게 내가 빌게. 내가 너의 종이 되라면 종이 될게!” 카알은 이제야 사태파악이 된 듯 무릎을 꿇고 비굴하게 부탁했다.

그때 카알의 뒤쪽에 새빨간 불길에 휩싸인 악마 둘이 나타났다. 그들은 검붉고 큰 몸에 머리에는 양처럼 큰 뿔이 돋아있다. 악마들은 성큼성큼 다가와 카알의 양팔을 잡아 번쩍 들어 올렸다. 그는 버둥거리며 온몸으로 저항했다.

카알은 악마들의 몸에서 옮겨붙은 지옥 불로 활활 타올랐다. 그는 비명을 지르다가 빠르게 재가 되었다. 그러나 카알의 반투명한 영혼은 여전히 두 악마의 튼튼한 팔에 잡혀있었다. 그는 고개를 들어 섬뜩한 표정으로 웃었다. 카알의 알 수 없는 미소에 톰은 불안해졌다.

“톰! 방아쇠는 벌써 당겨졌어. 네가 아무리 인류를 구하려고 발버둥을 쳐도 그들을 구할 수 없어. 왜? 그들은 수천 년 동안 세뇌된 생활방식을 절대 바꾸지 않을 테니까. 네가 정말로 싸워야 하는 상대는 내가 아니라 인류야! 멍청아! 결론은 내가 이긴 거야! 내가! 하하하! 아하하하!”

카알은 악마들에게 끌려가면서 야비하게 비웃었다. 톰은 맥이 풀리는지 그 자리에 주저앉았다.

톰은 멍하니 앉아있다가 문득 인기척을 느꼈다. 십 미터 떨어진 기둥 뒤에서 권총을 든 세르지오가 걸어 나왔다. 그는 매우 두려운 듯 손에 쥔 권총까지도 떨리고 있다.

“도대체 카알님께 무슨 짓을 한 거야?”

세르지오는 고해성사실에 숨어있었다. 그는 창문을 통해 톰과 카알의 싸움을 지켜봤다. 그러나 싸움 후반에 저승사자가 나타난 이후로는 이해할 수 없었다. 그의 눈에는 저승사자가 보이지 않았기 때문이다.

카알이 알 수 없는 힘에 이끌려 공중에 떠오른 것부터, 샛노란 불길에 불타 재가 되어 사라진 장면까지 그에게는 엄청난 충격이었다.

“어서 말해!” 세르지오는 흥분을 가라앉히지 못하고 소리쳤다.

"유다 이 자식!" 톰은 불같이 화를 냈다. 톰의 눈에는 현재의 세르지오와 과거의 유다가 겹쳐 보였다. 톰이 세르지오를 처음 봤을 때 당황했던 이유는 세르지오의 전생이 예수를 밀고했던 사도 유다였기 때문이다. 유다가 이번 생에서는 사악한 신의 하수인으로 그에게 권총을 겨누고 있다는 사실이 말할 수 없이 화가 났다.

"저번 공항 차량 폭파와 병원 암살시도 전부 네가 한 짓이지?"

"뭔 소리야? 평생을 성직자로 살아온 나를 어떻게 보고 하는 소리야?"

"그럼 재림한 예수에게 총을 겨누는 행위는 성직자가 할 짓이냐?"

"유색인종인 네가 진짜 메시아일 리가 없잖아?"

"이런 무식한! 고대 유대인인 예수는 파란 눈에 금발이라고 생각하느냐? 널 어떻게 해줄까? 너의 대장처럼 지옥 불에 태워 지옥으로 보내줄까?" 톰의 천둥 같은 고함에 세르지오는 멈칫 뒤로 물러났다.

"그건 다 카알님이 시켜서 한 일이야!" 세르지오는 여전히 권총을 겨누고 있지만, 잔뜩 위축되어있다.

"그럼 앞으로 나를 위해 일해준다면 목숨도 살려주고 네 지난 죄도 용서해 주겠다. 아주 파격적인 조건이야! 이게 싫다면 넌 영원한 지옥 불에 고통받게 될 거야!"

"네가 용서한다는 말을 어떻게 믿지?" 세르지오는 주저하며 톰을 의심했다.

"네가 그러고도 성직자냐? 파리 눈꼽 만치도 믿음이 없는 놈아!" 톰의 불같은 호통에 세르지오는 총을 떨어뜨렸다. 그런데 총이 떨어지는 충격으로 발사되었다. 총알이 톰 옆의 기둥에 날아와 박혔다. 톰이 세르지오를 노려보자, 그는 풀이 죽은 채 고개를 숙였다.

제21화 마지막 검증

한 달 만에 산타 크로체 성당에서 추기경 회의가 다시 개최되었다. 의장인 세르지오가 사회를 맡았고, 제일 앞줄에 교황, 톰, 루치오, 클레멘스가 앉아있다. 지역과 국가를 대표하는 추기경들이 붉은 로브를 입고 빼곡하게 자리했다. 세르지오가 마이크가 있는 단상에서 연설을 시작했다.

"존경하는 추기경님들, 미리 보내드린 회의 주제자료와 같이 최근에 예수 그리스도의 재림이 있었습니다. 이 분은 교황님의 기도 중에 영으로 찾아와 그가 재림 예수임을 밝히셨습니다. 그 후, 바티칸에 직접 오셔서 교황의 허락 아래 치열한 검증토론을 통해 자신을 입증하셨고, 짧은 시간 많은 공헌을 하셨습니다."

"첫째, 바티칸 대지진을 예고해서 바티칸 시민을 포함하여 성당에 있던 신도들까지 모두 목숨을 구할 수 있었습니다. 둘째, 인공지능 시스템으로 말미암은 핵전쟁을 막을 수 있도록 크게 공헌하셨습니다. 또, 북극에서 일어난 메탄가스 대량유출에도 해결책을 가지고 있다고 하십니다. 하지만 추기경들의 마지막 검증이 필요하다는 의견이 있어서 회의를 소집했습니다. 우리는 사전에 메일로 설문 조사지를 보내드렸습니다. 그 설문지에는 '예수 그리스도라면 가능한 능력 중 꼭 보고 싶은 능력을 한 가지를 적어달라'고 했으며, 대부분의 추기경님이 답변을 보내주셨습니다."

추기경들이 흥미로운 조사결과를 알고 싶은지 경청하고 있다. 톰은 눈을 지그시 감고 있고, 클레멘스는 흥미롭다는 표정이다.

"가장 답변을 많이 받은 다섯 가지를 먼저 말씀드리고, 그중 일등을 차지한 능력은 이 자리에서 시연해 보이겠습니다. 첫째로는 호수 위를 걷는 능력이고, 두 번째는 오병이어의 기적, 세 번째는 치유의 능력, 네 번째는 물을 포도주로 만드는 능력, 다섯 번째는 죽은 사람을 살리는 능력입니다. 이 모든 능력은 성경에서 언급된 예수의 기적이며, 위대한 능력입니다. 그중 가장 많이 나온 답변은."

톰의 속눈썹이 파르르 떨리고 있었다. 사실 이 안건은 세르지오가 제안한 내용으로 어떤 결과가 나올지 알 수 없는 상황에서 진행된 것이다.

"죽은 사람을 살리는 능력입니다. 여러분~!" 세르지오의 말에 추기경 사이에서 탄식과 '할렐루야!'라는 소리가 연이어 들렸다.

"그래서 제가, 삼 일 전 타계한 밀라노의 라자로(Lazaros) 추기경의 시신을 냉동보관 상태로 모셔왔습니다. 여러분 모두가 라자로 추기경을 잘 알고 그분의 부고를 들으셨으리라 믿습니다. 그리고 이 엄혹한 위기의 시대를 타계할 메시아를 모시겠습니다. 톰 아니쉬크를 모십니다."

파란색 양복을 입은 톰이 단상 앞에 모습을 드러내자, 장내는 술렁이기 시작했다.

"인도인 같은데?" "너무 젊은 거 아니야?" "제대로 검증을 한 건가?"

톰은 이미 여러 형태로 의심을 받아왔기에 흔들림 없이 마이크 앞에 섰다.

"이렇게 영광된 자리에 서게 돼서 매우 떨립니다. 제가 추기경님들의 예상과 다른 모습으로 나타나 많이 당황하셨으리라고 생각됩니다. 하지만 저는 실력으로 저 자신이 메시아임을 입증했고, 그 부분을 교황님께서 인정해주셔서 이 자리에 서게 되었습니다. 라자로 추기경을 소생시키는 과제를 통해 여러분의 의심이 완전히 제거되기를 바랍니다."

톰이 인사를 하는 사이, 검은 양복의 직원 둘이 유리와 금속으로 된 냉동 관을 선반에 싣고 나왔다. 대형 카메라를 든 촬영기사가 올라와 투명 유리관에 누워있는 라자로 추기경을 촬영했다. 그 화면은 성당 양쪽에 있는 초대형 화면에 실시간으로 중계됐다.

톰이 다가가자, 직원은 관의 옆면 버튼을 눌렀다. 그러자 관 뚜껑이 열리며 냉기가 주위로 퍼졌다. 라자로는 생전에 입었던 추기경복 그대로 관 안에 누워있다. 톰은 심각한 표정으로 라자로를 보다가 세르지오에게 말했다.

"냉동상태에서 바로 깨우는 게 맞나 모르겠네요."

"그건 우리도 모르죠." 세르지오는 나 몰라라 식으로 얄밉게 대답했다.

"일단 해 보죠." 선택의 여지가 없는 톰은 팔을 걷어붙이고, 라자로의 머리에 손을 얹었다.

"어유! 너무 찬데?!" 톰이 깜짝 놀라 손을 떼자, 세르지오와 직원들이 한 발자국씩 물러났다. 촬영기사는 그런 모습도 여과 없이 보여주며 직업정신을 발휘했다.

톰은 마음을 가다듬고 라자로의 이마 위에 손을 얹었다. 톰이 기도를 시작하자, 그의 시신이 눈에 보일 정도로 빠르게 녹았다. 라자로의 창백했던 얼굴도 서서히 온기를 되찾아가는 모습이다. 늙은 추기경들은 모두 숨을 죽이고 화면을 지켜보았다.

한순간, 라자로의 손끝이 살짝 움직였다. 카메라맨은 줌을 당겨 그 모습을 포착했다. 그때, 라자로가 눈을 번쩍 떴다. 카메라맨은 당황해서 뒷걸음쳤다. 라자로의 눈동자는 회청색에 가까웠고 눈두덩은 움푹 파였다.

"주여!" "할렐루야!" 추기경들 사이에서 신음과 같은 탄성이 터졌다. 그들의 호들갑에 성당은 시장처럼 시끄러웠다.

"추기경님들, 조용 해주세요!" 세르지오가 마이크를 들고 호령했다. 이때 세르지오의 뒤로 라자로가 벌떡 일어나 앉았다.

"아악!!!" 그 모습을 화면을 통해 본 추기경들이 질겁을 하며 비명을 질렀다. 뒤를 본 세르지오는 삐져나오는 비명을 막으려고 왼손으로 입을 막았다. 톰은 한 걸음 떨어져 라자로의 상태를 지켜봤다. 세르지오가 라자로에게 다가가 그에게 말을 걸었다.

"라자로 추기경, 내가 누군지 알겠습니까?"

"세. 세르지오?!" 라자로의 대답에 추기경들 사이에서 탄성이 흘러나왔다.

"나. 좀. 내. 려. 줘." 라자로가 팔을 뻗어 관에서 내려 달라고 했다. 세르지오가 직원들에게 눈짓하자, 그들이 라자로의 팔을 부축했다. 그들은 라자로를 관에서 꺼내 선반에 앉혔다. 추기경들은 목을 잔뜩 빼고 상황을 지켜봤다. 이윽고 라자로가 직원들의 도움으로 땅바닥에 발을 디뎠다. 그러자 추기경들이 감동에 겨운 표정으로 그를 향해 손뼉을 쳤다. 라자로가 서툰 걸음으로 세르지오에게 다가가자, 그는 팔을 벌려 옛 동료를 맞이했다. 세르지오와 포옹한 라자로가 그의 귀에 대고 속삭였다.

"배.고.파!" 그리고 그의 귀를 힘껏 물었다. 놀란 세르지오가 비명을 지르며 그를 밀쳐냈다. 세르지오의 오른쪽 귀에는 라자로의 틀니가 달랑달랑 달려있다. 입이 합죽해진 라자로는 이번에는 가까이 있는 촬영기사에게 달려갔고, 대형화면에 그 모습이 그대로 중계되자, 추기경들이 혼비백산해서 뿔뿔이 흩어졌다.

"도대체 라자로가 왜 저럽니까? 혹시 좀비가 된 게 아닙니까?" 세르지오가 틀니를 떼어내며 톰에게 소리쳤다.

"난 그의 영혼을 신의 허락을 받아 호출했을 뿐입니다. 혹시 라자로가 죽기 전에 무슨 병이었는지 압니까?"

"죽기 전에 치매로 몇 년 고생했죠."

"죽기 전 상태로 다시 깨어났으니 저 모양이죠. 다시 영혼을 돌려보냅시다!" 톰의 말에 세르지오는 다급하게 고개를 끄덕였다. 그 사이 라자로는 촬영기사와 직원들을 쫓아다니고 있다. 톰이 라자로의 뒤로 다가가 그의 정수리에 손을 대고 영혼을 뽑아냈다. 그러자, 라자로가 마치 인형처럼 픽 쓰러졌다. 라자로가 정신을 잃은 걸 확인한 직원들이 그를 들어 다시 관으로 집어넣었다.

"여러분 진정하세요. 라자로 추기경은 다시 영면에 들었습니다." 세르지오가 마이크를 들고 소란을 진압하려고 했다.

"저건 좀비잖아요!!!" 한 추기경이 예민해진 목소리로 소리쳤다.

"좀비 아닙니다!! 라자로 추기경은 죽기 전 치매를 앓았었는데, 그 상태로 다시 깨어난 것이니 너무 놀라지 마세요." 그제야 추기경들은 숨을 돌리고 자리에 앉았다.

"어쨌든 짧은 시간이지만 라자로 추기경이 죽음에서 돌아와 저를 알아봤으니 톰이 메시아라는 사실은 증명되었습니까? 이의 있으신 분 계십니까?" 중간쯤 앉아있던 북유럽풍의 외모를 가진 매튜 추기경이 벌떡 일어났다.

"어떤 이유로 이런 삼류 마술쇼를 하는지 알 수 없지만, 난 저자를 메시아로 받아들일 수 없습니다!" 그러자 서로 눈치를 보던 몇몇 추기경들이 여기저기서 이의를 제기했다. 세르지오가 장내 소란을 제지하려고 했지만 쉽게 잦아들지 않았다. 그때 톰이 허공으로 두둥실 떠올랐고, 이를 본 추기경들이 믿지 못할 광경에 말을 잃었다. 톰은 허공을 가로질러 매튜 추기경이 잘 내려 보이는 위치에서 정지했다.

"초봄의 빙판보다 약한 믿음을 가진 자들이 어떻게 나의 뜻을 전하는 종교지도자가 되었는지 알 수가 없군!" 톰의 쩌렁쩌렁한 고함이 성당에 퍼지자, 쥐죽은 듯 고요해졌다.

"그 좁고 편협한 시야로 무엇을 제대로 볼 수 있느냐? 북극은 불타고 있고 우리에게는 시간이 없는데 또 무엇을 증명해야 하느냐? 그럼 네가 갈 지옥을 미리 보여 줄 테니 같이 가자!"

"지옥이라고 하면 죽음을 말하는 겁니까?"

"영혼이 몸을 빠져나가니 임사체험이라고 할 수 있지."

톰의 제의에 매튜는 잠시 생각했다. '아까 라자로 추기경 사건만 해도 그가 메시아든 마법사든 아직 미숙하다는 증거다. 혹시 또 실수라도 하면 나는 다시는 현실로 돌아오지 못한다. 이 즐거운 세상을 말이다.' 매튜는 생각이 여기까지 미치자 몸을 부르르 떨었다.

"저는 괜찮습니다."

"매튜는 그럴 생각이 없는 것 같고, 다른 사람은?" 추기경들은 톰과 눈이 마주치자, 하나같이 시선을 피하거나 고개를 돌렸다.

"지옥 여행이 가고 싶은 사람은 회의 끝나고 나를 찾아오너라." 톰의 말이 허공에 울려 퍼져 고요해진 성당을 울렸다.

공식행사가 끝나고 톰을 찾아오는 추기경은 아무도 없었다. 톰과 교황 일행이 밖으로 나오자, 마크, 이사벨, 조나단이 광장에서 기다리고 있다. 모두가 자리한 가운데 톰이 무겁게 입을 열었다.

"교황님, 모레 이곳에서 전 세계 언론을 모두 초청해 기자회견을 했으면 합니다. 가능한 방송사와 신문사에 제 신상과 검증과정에 관한 정보를 보내주세요. 그리고 유튜브에 '백일 비건 프로젝트'라는 이름으로 계정을 만들 겁니다. 우리와 같이 세계 투어를 같이 할 실시간 방송팀을 만들어주세요."

"백일 비건 프로젝트가 뭐야?" 마크가 모두를 대변하듯 물었다.

"내가 명상을 통해 얻은 해결책은 비건입니다. 비건은 가장 친환경적이고 평화로운 생활방식입니다. 비건으로의 전환이 우리가 살 수 있는 유일한 방법입니다. 현재 바티칸에 국고가 얼마나 있습니까?"

"지진이 있기 전 40억 유로 정도 됩니다."

"현금으로 전환 가능한 모든 부동산과 예술품을 처분하거나 담보대출 부탁합니다. 그 돈으로 비건 프로젝트에 참여하는 식당 업주에게 합당한 지원금과 격려금을 줄 계획입니다. 넉넉하게 지원해줘서 그들이 옳은 일을 하는 데 힘을 실어줍시다."

"예?" 톰의 제의에 모두가 황당하다는 표정으로 그를 봤다.

"그래도 바티칸을 재건할 비용은 남겨 놓아야 합니다." 세르지오가 눈치 없이 끼어들었다.

"세상이 없어지는데 바티칸을 새로 짓는 게 무슨 의미가 있습니까? 아직도 사태파악이 그렇게 안 됩니까? 당신은 누구를 위한 성직자입니까?" 톰의 호된 질책에 교황과 추기경들은 고개를 숙였다.

"인류 멸망이 코앞인데 뭐라도 해봐야죠? 안 그래요? 각 교구에도 성당 건물을 담보로 대출받아 지역 식당을 지원하고, 비건 도시락을 만들어 원하는 사람에게 돌리도록 지시하세요. 모든 성직자는 지금부터 이 일에 매진합니다. 뜻있는 교인들의 봉사와 참여도 적극적으로 받아들이고요. 그리고 채식요리 전문가를 초빙해서 매일 요리 교실도 열고 성직자들도 꼭 배우도록 하세요. 우리가 솔선수범해야죠!" 톰의 쏟아지는 요구사항에 모두가 얼떨떨한 모습이다.

제22화 시바와 가이아

 이틀 뒤, 산타 크로체 성당 광장 앞에는 세계 각국 언론사 기자들 수백 명이 빼곡하게 자리했다. 교황이 앞서 기자들에게 경위를 상세하게 설명하고 톰이 단상에 올랐다.
 톰이 단상에 서자, 기자들은 카메라 조명을 터뜨리며 앞다투어 사진을 찍었다. 방송사 기자들은 실시간 보도를 하며 취재 경쟁에 열을 올렸다. 톰은 처음 겪는 조명 세례에 당황했지만, 이내 적응이 된 듯 마이크 앞에 섰다.

 "갑자기 잡힌 기자회견인데도 먼 길을 찾아주신 기자 여러분에게 깊은 감사의 말씀 드립니다. 오늘 여러분이 쓴 기사가 인류의 향방을 결정할 수 있다고 해도 과언이 아닐 정도로 여러분의 역할은 매우 막중합니다. 요한계시록에 적혀있듯이 메시아가 나타났다는 사실은 인류가 엄중한 위기에 처해 있다는 사실입니다. 지금 이 시각에도 북극에서는 크나큰 메탄가스 불기둥들이 북극의 얼마 남지 않은 얼음을 녹이고 있습니다. 사실상 인류는 자연으로부터 사형선고를 받은 상황입니다. 그래서 저는 자연과 천국을 설득할 수 있는 마지막 방법을 전 세계 인류에게 말씀드리겠습니다. 내일부터 백일 간 전 세계인이 참여 가능한 캠페인을 하려고 합니다. 내일부터 우리 인류는 우리가 할 수 있는 가장 친환경적인 삶을 연습해야 합니다. 그건 가장 동물과 자연에 자비로운 삶의 형태인 비건이 되는 겁니다. 비건이 되고 자연을 보호하세요. 비건이 무엇인지는 저의 회견 후 추기경님이 자세하게 설명하겠습니다." 톰의 연설에 기자들은 고개를 갸우뚱하며 취재를 이어갔다.
 "그 정식명칭은 '백일 비건 프로젝트'라고 정했고 유튜브에 관련 계정을 만들었고, 그 계정으로 저희 활동을 볼 수 있고, 참여도 물론 가능합니다. 우리 교황청은 총력을 다해서 여러분이 비건을 할 수 있도록 도울 예정입니다. 현재 바티칸이 보유하고 있는 국고로 비건 채식 식당으로 전환하는 곳에 지원금을 드리겠습니다. 기존의 비건 식당은 격려금을 드리겠습니다. 채식을 먹고 싶지만, 먹을 곳이 없는 분들은 지역 성당에서 도시락을 나눠 드리겠습니다. 또한..."

톰이 연설을 끝내고 질문시간을 주자, 기자들은 앞다투어 질문했다. 질문내용은, 진짜 재림 예수가 맞느냐, 교황청에서 어떤 자세한 검증 과정을 거쳤느냐, 인도 출신 기자라고 알고 있는데 어떻게 자신이 재림예수라는 사실을 알게 되었나, 비건이 정말 해결책이 맞나. 이 파격적인 제의가 가져온 사회적 파장은 알고 있는가. 등등의 쏟아지는 질문에 톰은 차분하게 준비한 답변을 자세하게 했다.

톰은 해가 질 무렵 기자회견을 끝내고 단상 뒤에 있던 일행에게로 돌아왔다. "교황님, 클레멘스, 이사벨, 마크, 조나단은 저와 같이 전 세계의 각 교구를 방문하여 활동을 적극적으로 격려합시다."

추기경 회의가 있기 며칠 전 톰은 명상 중 낯선 여성의 목소리를 들었다.

"메시아여! 나는 지구의 신 가이아입니다. 내일 석양 때 산타 크로체 성당 광장에서 뵙고 싶습니다."

"네 알겠습니다. 그런데 어떤 모습으로 오십니까?"

"걱정하지 마세요. 금방 알아볼 수 있을 겁니다."

다음날 톰은 석양이 지는 성당 풍경을 보며 광장 벤치에 앉아있었다. 저 멀리서 기이한 분장을 한 무리의 사람들이 나타났다. 톰은 적잖게 긴장했다.

뾰족하고 검은 모자를 쓴 녹색 피부의 마녀, 볼살이 너덜너덜한 좀 비, 창백한 피부에 입술에 핏자국이 있는 드라큘라, 야구방망이를 휘두르며 요란하게 껌을 씹는 할리퀸, 그 옆에는 기괴한 웃음소리의 조커까지 코스프레를 한 사람들이 톰의 앞을 지나갔다.

"아! 핼러윈 데이구나!"

톰은 이제야 생각난 듯 긴장을 풀고 웃었다. 그가 긴장을 풀고 웃는 동안 무리에서 두 사람이 빠져나왔다. 남성은 파란 피부와 긴 파마머리, 긴 삼지창을 들고 있어서 톰은 그를 '아쿠아 맨'이라고 생각했다. 여성은 '원더우먼' 영화에 나오는 아마존 여전사 같은 복장이다. 근육질의 그녀는 이마와 코에 밴드를 붙였고, 팔목과 허벅지에는 붕대가 감겨있다. 톰의 예상이 맞는다면 그녀가 '가이아'다.

"혹시 가이아?"

"많이 기다리시지는 않으셨죠?"

"괜찮습니다. 그런데 정말 첫눈에 알아보겠는데요? 그 상처들은 코스프레입니까?"

"아니요. 지금의 지구 상태가 반영된 모습입니다. 요즘 계속 심한 몸살에 시달리고 있습니다."

"정말 죄송합니다."

"사과도 이젠 때가 늦었습니다. 저도 버티는 데 한계를 느껴서 포기했으니까요."

"저희에게 조금만 더 시간을 주세요."

"이미 결정 난 일에 왜 이러실까?" 멀뚱멀뚱 서 있던 아쿠아 맨이 슬그머니 대화에 끼어들었다.

"인사가 늦었습니다. 저는 톰입니다. 아쿠아 맨 코스프레를 하셨으니 혹시 '포세이돈' 님이세요?"

"땡! 한 번 더 기회를 주지." 아쿠아 맨은 게임 진행자처럼 말했다.

"힌트!" 톰은 자신도 모르게 게임 참여자처럼 다급해졌다.

"갠지스!"

"네?"

"아 답답하네. 파괴의 신!"

"시바?"

"딩! 동! 댕!"

"그런데 갠지스와 무슨 관련이 있습니까?"

"인도인이 그 유명한 전설을 몰라? 물의 신 강가의 강한 물줄기를 내가 머리칼로 받아서 갠지스강을 만들었잖아!"

"그렇군요. 직접 뵙게 돼서 영광입니다."

"내가 영광이지. 최고신의 아바타를 직접 보다니."

"정말 지구가 불덩이가 되는 걸 피할 방법이 없습니까?"

가이아가 말했다. "저는 인류에게 시간을 좀 더 주고 싶은데, 시바는 이미 결정된 일이라 바꿀 수 없다고 합니다. 그래서 말씀 나누시라고 모시고 왔어요."

"시바님 우리에게 조금만 더 시간을 주시면 안 될까요?"

"내 주 업무가 파괴하는 일인데 일을 하지 말라고?"

"아니 그 말이 아니고 조금만 더 시간을 달라고 부탁하는 겁니다." 톰은 그의 손을 잡고 무릎까지 꿇으며 애원했다.

"아, 이러지 마! 마음 약해지잖아" 시바가 난처한 표정으로 말을 이었다. "조건부로 시간을 좀 줄게. 백일 어때? 백일이면 충분히 변화 가능한 시간 같은데."

"그 백일에 무엇을 해야 합니까?"

"지구 인구의 51% 이상이 각성하고 가장 친환경적인 존재가 되는 것. 그럼 북극의 불을 꺼줄게."

"그게 뭔가요?"

"비건!"

"그럼 절반 이상이 비건이 되면 북극의 불기둥은 사라집니까?"

"그렇지."

"만약 실패하게 되면 어떻게 되죠?"

"당신이 가진 영적 에너지를 모두 내게 줘야 해."

"그렇게 되면 톰은 죽습니까?" 가이아가 대화에 끼어들었다.

"죽지는 않지만, 거의 어린아이 수준의 지능만 남지."

"하겠습니다." 톰은 결심을 굳힌 듯 대답했다.

"그리고."

"또 있습니까?"

"내가 갠지스강을 만들 때 탈모가 심하게 와서 당신의 머리칼을 가지고 싶은데 말이야." 시바의 뜻밖의 말에 톰은 살짝 당황했다.

"얼마나요?"

"다!"

"다요?"

"응. 다!"

"그건 좀 잔인하지 않아요?" 가이아가 옆에서 거들었다.

"싫어? 싫으면 없던 일로 하고" 시바는 팔짱을 끼고 고개를 돌렸다. 그러자 그의 정수리의 원형탈모가 살짝 드러났다.

"아니 괜찮습니다."

"그래? 정말 후회 없어?" 시바는 걱정하는 말과는 매우 상반되는 밝은 표정으로 말했다.

"그럼요." 톰의 확답으로 그들의 아주 위험한 거래는 이루어졌다.

톰의 기자회견 날부터 전 세계의 언론사와 방송사에서 "재림예수 출현"이라는 제목의 특종이 쏟아졌다.

한편 첸나이 용역 사무실에서 보스가 책상 위에 구둣발을 얹고 TV를 보고 있다. 과장이 문을 벌컥 열고 건들거리며 들어왔다.

"야! 넌 걸음걸이부터 고쳐! 애가 무슨 연체동물 같아."

"왜 또 시비야!"

"아직도 걔들 행방을 못 찾은 거야? 그 신문사 있잖아."

"무슨 신문사?"

"왜 그 사랑과 전쟁? 이었나? 왜 널 기절시켰던 애들 있잖아."

"누가 기절했다고 그래?" 과장이 발끈하며 화를 냈다.

"꼴에 자존심은 있어서. 쯧쯧."

"아! 걔들? 우리가 총 들고 다시 갈까 봐 무서워서 도망간 거 같은데?"

"야! 네 눈에 걔들이 도망갈 애들로 보여? 그 독종들이?"

"그럼 제보기사 때문에 다른 애들한테 당한 거 아닐까?"

"내 그놈들 때문에 제약회사 상무에게 창피당한 일 생각하면 아직도 잠이 안 와!"

그때 톰의 기자회견 장면이 TV 화면에 나왔다. 보스가 급히 발을 내리고 자세를 고쳐앉았다.

"어라? 쟤가 왜 저기서 나와?"

"뭔데? 어? 그 자식이잖아!?"

화면 아래에 '재림 예수의 기자회견'이라고 글자가 나왔다.

"재림 예수? 기자회견? 이게 무슨 소리야?" 보스의 동공이 심하게 흔들렸다. 과장이 홀린 듯이 TV 앞으로 갔다. 보스는 리모컨으로 음량을 키웠다. 과장은 믿을 수 없다는 표정으로 돌아봤다. "목소리도 맞는데?"

"에이! 다른 사람이겠지." 보스가 현실을 부정하려고 했으나, 톰 뒤에 마크가 화면에 보이자, 둘 다 표정이 굳었다.

"말이 안 돼! 무슨 메시아가 사람을 기절하도록 두들겨 패? 형! 말이 된다고 생각해?"

"그렇기는 한데. 지금 생각하니 신문사 이름이 '사랑과 평화'인 것이 좀 꺼림칙하네."

"아냐! 난 모두가 속고 있다고 봐. 예수는 비폭력의 상징이야! 그런데 저 기자 놈은 싸움을 즐기고 있었어. 저렇게 호전적인 자가 예수일 리가 없어." 과장이 입에 거품을 물고 떠들어댔다.

"너 많이 힘들었구나. 야! 생각해봐! 교황과 교황청이 인정했잖아. 저 사람들이 바보야? 네 눈엔 저 사람들이 바보로 보여?"

"아냐! 난 저 기자 놈의 살벌한 눈빛을 아직도 기억해. 무슨 메시아의 눈에 살기가 가득해?"

"너 같으면 시커먼 놈들이 쇠파이프 들고 들이닥치면 웃으며 반기겠냐? 그리고 말조심해! 기자 놈이라니 구세주에게." 보스가 은근슬쩍 태세전환을 했다.

"형!!!" 과장의 목소리에 억울함이 잔뜩 묻어났다.

"지금 북극은 불타고 있고, 우리가 재림예수를 죽이려 했다면 어떻게 되는 거냐?" 보스가 한숨 쉬듯 말했다.

"지옥행 특급열차를 탄 거지!" 과장이 시큰둥한 표정으로 말했다.

"하~ 어떡하지?"

"지금이라도 찾아가서 사과할까?"

"거기가 어디라고 찾아가니 바보야! 또 우리가 찾아가면 걔들이 곱 게 만나주겠니?"

"그럼 저 녀석 말대로 잘못을 깊이 참회하고 채식으로 식단을 바꿀 까?"

"저 녀석이라니? 말조심하라니까! "

"형이 정색하고 말하니까 정말 재수 없어."

"명색이 메시아인데 우리가 참회하고 채식하면 좀 봐 주겠지? 나쁘 지 않아. 나쁘지 않아." 보스는 엄지손톱을 물어뜯으며 말을 반복했다.

전미 개신교 연합에서는 교황청이 벌리는 초대형 사기극이라고 바로 반박성명을 내고 자료조사에 착수했고, 영국 성공회에서는 바티칸 대 지진의 여파로 교황청 사람들이 비이성적으로 변했다고 평하며 예수 의 재림 따위는 없다고 반박성명을 냈다. 정교회에서는 즉각적인 반응 을 자제하는 가운데, 더 지켜보자는 신중론을 폈다.

환경단체에서는 지구 온난화의 주범이 탄소가 아니라 동물사육으로 말미암은 메탄가스라고 하며 지지성명을 냈고, 동물보호 단체에서는 동물을 보호하는 비건 식단을 지지했다. 토론 프로그램에서는 비건 찬 성과 반대 견해가 극렬하게 갈리며, 욕설에서 몸싸움까지 번지는 장면 들이 방송되기도 했다.

톰 일행은 대형 리무진 버스를 구해 방송팀과 함께 밀라노 교구를 시작으로 유럽여행을 시작했다. 밀라노 대성당에 도착했을 때, 소문을 들고 메시아를 보기 위해 모인 인파가 광장을 가득 채웠다. 교황이 먼저 마이크를 잡고 그간의 일을 말하며, 톰이 진정한 메시아임을 먼저 강조했다. 뒤이어 마이크를 잡은 톰은 진정한 기독교인이라면 지구를 구하는데, 적극적으로 동참해 달라고 간절하게 호소했다. 그리고 밀라노 성직자와 교인들이 만든 비건 도시락을 시민들에게 나눠주며 인사를 나눴다. 톰 일행은 자리를 옮겨 비건 채식으로 전환한 식당에 들렀다. 그들은 비건 치즈와 콩 햄을 넣어 만든 피자를 먹으며 업주와 종업원들을 격려했다. 이 모습은 유튜브를 통해 생중계되며, 엄청난 조회 수를 기록했다. 톰은 비건 프로젝트를 시작한 이후로도 꾸준히 밤샘 명상을 했다.

 이사벨은 일정을 마치고 밤에 교구에서 마련한 숙소로 돌아왔다. 더위에 지친 그녀는 샤워를 끝내고 평소와 달리 침대에 바로 몸을 뉘었다. 곧 그녀는 코까지 골며 깊은 잠에 빠져들었다. 꿈속에서 그녀는 그날 낮처럼 많은 인파에 휩싸여 있었다. 어디선가 웅장한 음악 소리가 들렸다. 그 소리는 마치 수천 명이 연주하는 오케스트라 같았다. 하지만 전혀 시끄럽거나 거슬리지 않았고, 마치 몸이 그 음률에 따라 진동하는 것처럼 느껴졌다.
 이사벨은 주위를 두리번거리다가 소리의 진원지가 그녀의 머리 위라는 것을 간파했다. 고개를 들어 하늘을 본 이사벨은 입이 떡 벌어졌다. 날개를 가진 수천의 어린 천사들이 트럼펫과 하프, 피리를 불고 연주하며 높디높은 하늘을 가득 채우고 있었다. 그리고 그 높은 하늘의 끝에는 태양처럼 빛나는 사람의 형상이 떠 있었다.
 음악 소리가 더욱 웅장해지자 이사벨의 몸이 둥실둥실 하늘로 떠올랐다. 마치 바람에 실려 하늘로 올라가는 솜털처럼 가볍게 원을 그리며 천사들 곁으로 올라갔다. 트럼펫을 불던 아기천사가 이사벨과 눈이 마주치자 찡긋 윙크했다. 이사벨은 너무나 기뻐서 두 손을 흔들며 반갑게 인사했다. 그녀는 마치 하늘을 수영하듯이 팔다리를 휘저어보기도 했다.

  잠시 후 이사벨은 자신처럼 지상에서 하늘로 떠오르고 있는 수십만 명의 사람들을 목격했다. 그들도 아기천사들의 환대를 받으며 땅이 보이지 않을 정도로 빽빽하게 올라오고 있었다. 그중에는 이사벨도 아는 세계적인 유명인도 보였다. 기아퇴치 재단을 만든 기업인, 해양 쓰레기 대책을 내놓은 청년, 환경투사로 유명한 소녀, 비폭력적인 식단의 장점을 세상에 알린 의사들, 환경단체 회원들, 동물보호 단체 회원들, 수의사, 지구 온난화의 위험성을 알린 각계 인사들, 천상의 기억을 그림으로 그리는 화가, 동화작가, 산림감시인, 청소부, 등등 다양한 직업군과 인종이 마구 뒤섞여있었다. 그렇게 뒤섞여있는 모습이 그녀의 눈에는 너무나 아름다운 그림 같았다. 이사벨은 아이처럼 기뻐하며 함성을 질렀고 그 소리는 다른 사람의 환호성과 어우러져 합창처럼 울려 퍼졌다. 그녀는 고개를 들어 황금빛으로 빛나는 존재를 다시 바라봤다. 밝기로는 태양의 수천 배 밝았지만, 그 밝음이 부담스럽거나 눈부시지 않았다. 오히려 그 빛에는 사랑과 축복이 깃들어있음을 온몸으로 느꼈다. 황금빛의 존재는 다름 아닌 톰이었다. 그는 온 세상에 선포하듯 말했다. 이사벨과 그곳의 사람들은 그 목소리를 귀가 아닌 온몸으로 들을 수 있었다.

  "나는 메시아다. 여러분은 백일동안 지구를 변화시키기 위해 선택되었다. 난 여러분을 축복하여 창조적 능력과 지혜를 줄 것이다. 너희는 온 힘을 기울여 너 자신과 세상을 구하라!" 톰에게 뿜어져 나온 황금빛이 사람들의 지혜안으로 쏟아졌다. 이사벨은 죄가 사라지고 영혼이 환희로 고양되는 걸 느꼈다.

  북극에 타오르는 불기둥 영향인지 '백일 비건 프로젝트'는 인종과 지역, 종교를 초월하여 전 세계로 퍼져 나가는 분위기다. 뉴스에서도 톰의 주장에 힘을 실어주는 양상을 보이며 시간이 빠르게 지나갔다. 톰 일행은 아시아의 첫 방문지로 한국을 방문했다. 톰은 한국의 전통 식단이 채식 위주였음을 강조하고, 채식식당에 들러 비빔밥과 비건 김밥을 시식했다. 그의 다음 방문지는 대만으로 채식인구가 상당히 많은 곳이다. 대만인들은 불교와 도교의 영향으로 오랫동안 채식을 해온 사람이 많았고 메뉴도 매우 다양했다. 톰은 대만이 가장 이상적인 형태의 비건 국가라고 칭찬했다.

톰 일행은 아시아를 거쳐 북미 대륙으로 건너갔다. 북미로 갔을 때는 분위기가 사뭇 달라졌다. 전미 축산협회장은 기자회견을 열고 축산농가를 말살하는 교황청에 법률적인 책임을 묻기 위해 변호사단을 구성하겠다고 발표했다. 한편, 호주 축산업자들은 교황청에 반대하는 의미로 대형 십자가를 불태우는 퍼포먼스를 벌였다. 각국의 수도마다 축산업자들이 모여 여러 가지 피켓을 들고 거리행진을 벌였다. 피켓에는 톰의 머리에 염소 뿔을 합성한 사진과 '가짜 예수'라는 글귀가 적혀있다.

'비건 백일 프로젝트'가 끝나는 마지막 날 톰 일행은 남아프리카 공화국 더반 교구에서 채식 도시락을 돌리는 행사를 했다. 더반은 인도의 첸나이처럼 육지의 남서쪽에 있는 항구도시이다. 행사를 마친 톰은 마크가 모는 소형 자동차를 타고 인근 해변으로 나왔다. 마크는 피곤하다며 차에서 잠시 잠을 자고 싶다고 했다.

톰은 잔뜩 먹구름이 껴있는 해변을 혼자 걸었다. 하얀 반 팔 셔츠에 낙타색 반바지를 입은 그는 바람을 맞으며 바다로 다가갔다.

그는 파도가 거칠어지는 바다를 보며 모래밭 위에 한참 서 있었다. 톰은 한순간 인기척이 느껴져 좌우를 둘러봤다. 좌측에는 노랑, 빨강이 섞인 아프리카풍의 원피스를 입은 가이아가 서 있고, 오른쪽에는 파란 멜빵바지를 입은 시바가 바람에 찰랑대는 머리칼을 쓸어올리며 서 있었다.

"톰, 성적표 나왔어." 시바가 그를 쳐다보지 않고 말했다. 톰은 고개를 돌려 가이아의 표정을 살폈는데 그녀의 안색은 역시나 어두웠다.

"전 세계인구의 24%가 너의 프로젝트에 참여했다. 놀라워! 난 5%도 참여하지 않을거라고 생각했지. 우리 메시아 대단해! 내가 정말 감동해서 북극의 불은 꺼주겠어!"

"정말요?!" 시바의 말에 톰이 손을 덥석 잡으며 기뻐했다.

"어허! 신의 말은 끝까지 들어봐야지! 너에게 협조한 24%를 뺀 나머지는 곧 정리할 거야."

"그게 무슨 말입니까?"

"제가 시바에게 당신의 프로젝트에 참여한 사람들은 살려달라고 간절하게 부탁해서 받아낸 약속입니다." 가이아가 톰을 달래듯이 조심스러운 어조로 말했다.

"결국, 이렇게 되는구나." 톰이 털썩 주저앉았다.

"그리고 거래는 거래! 너의 영적 에너지와 모발은 내가 가져가겠다." 시바의 말이 끝나기가 무섭게 톰의 풍성한 은색 머리칼이 민들레 홀씨처럼 날아서 시바의 머리칼로 흡수되었다. 그리고 허망해하던 톰의 표정이 무심하게 변했다가 어린아이의 미소로 변했다.

차에서 잠이 들었던 마크가 차 유리에 떨어지는 빗소리에 눈을 떴다. 그는 우산을 쓰고 나와 주위를 돌아보았다. 빗줄기가 점점 굵어지며 해변의 모래와 나무를 적시고 있다. 바다 가까이 민머리의 사내가 퍼질러 앉아 모래성을 쌓고 있는데, 얼핏 톰과 많이 닮았다.

"안돼! 안돼!" 뭔가가 떠오른 듯 마크는 허겁지겁 그에게 뛰어갔다. 마크가 다가가자 그는 어린아이의 해맑은 얼굴로 쳐다봤다. 그 모습에 마크는 무릎을 꿇고 주저앉았다.

"맙소사! 신들이 왔다 갔구나!" 마크는 절망스럽게 머리를 쥐어뜯었다.

제23화 마스터 아몬

이 개월 뒤 미국 애리조나 세도나.

세도나는 '볼텍스'로 유명하다. '볼텍스'란 지구의 자기적 에너지의 흐름이, 강렬한 소용돌이 형태로 나타나는 걸 말한다. 세도나의 볼텍스 현상은 철 성분이 많은 붉은 바위가 많아서 나무와 풀이 소용돌이치며 자란다. 그래서 이곳이 가장 에너지를 느낄 수 있는 곳으로 소문이 나서 전 세계 수행자들이 많이 찾아온다.

땅거미가 길어질 즈음, 마을 귀퉁이 가게 앞에 마크와 조나단이 앉아 있다. 그들 앞에는 그림이 그려진 조약돌이 가판대에 진열되어 있다. 각각의 조약돌에는 새와 꽃이 그려져 있는데, 화풍이 투박하면서 매우 독특하다. 그렇다. 그들은 조약돌을 팔고 있다.

"우리 이렇게 있으면 신분 노출되는 거 아니야?" 조나단이 선글라스를 고쳐 쓰며 말했다.

"사람들은 뜻밖에 남의 일에 관심 없어요. 지난 이 개월 동안 우리를 알아보는 사람이 한 명도 없었잖아요. 그리고 생활비는 벌어야죠." 모히칸 머리를 한 마크가 퉁명스럽게 대답했다.

"그럼, 생활비는 벌어야지. 여기 사람들은 참 느긋하고 평화로워. 관광객들도 성향이 비슷한 사람들만 오는 것 같고."

그때 히피풍의 젊은 여성이 다가와 감탄을 연발하며 조약돌을 만져 봤다.

"와! 이런 그림은 처음 봐요. 당신들이 그린 그림인가요?" 기하학적인 문양의 원피스가 잘 어울리는 그 여성이 조나단에게 물었다.

"아니요. 이 그림을 그린 작가는 은둔 작가로 작품에만 매진하고 있습니다." 조나단은 오래된 장사꾼처럼 싹싹하게 대답했다.

"물감은 어떤 걸 쓴 거예요?"

"무독성 물감으로 그려서 몸에 해롭지 않습니다."

"하나에 얼마예요?"

"하나에 2달러입니다."

"이거 들장미 맞죠? 그럼 들장미와 딱따구리 그림으로 할게요."

"감사합니다. 이 돌에는 행운이 깃들어있어서 좋은 일만 생길 겁니다." 마크가 근거 없는 상품 홍보를 하자, 조나단이 한술 더 뜬다.

"집안에 놓아두시면 수맥도 차단됩니다."

"어머 그래요?"

"그럼요." 두 사람은 일어나 조약돌을 산 여성의 뒤에다 깍듯하게 구십도 폴더인사까지 했다.

"오늘 저녁은 제대로 먹을 수 있겠는데요?" 마크가 흰 치아를 다 드러내며 말했다.

"그런데, 톰은 왜 사고 전에 이곳에 데려다 달라고 했을까?" 조나단은 갑자기 생각이 난 듯 물었다.

"분명히 이유가 있는데, 그걸 아직 알 방법이 없어요. 그사이 일어났던 일도 이해가 안 가고요." 마크는 지난 일을 되뇌어 회상했다.

사고 당일, 마크가 기억상실이 된 톰을 태우고 더반 성당으로 돌아왔다. 일행은 톰의 퇴행한 행동과 탈모가 겹친 모습에 크나큰 충격을 받았다. 마크가 이전에 톰에게 들은 시바 이야기를 하자 모두가 할 말을 잃었다.

"그럼 우린 지구를 구하는 데 실패했단 말인가?"

교황은 절망에 가득 찬 목소리로 부르짖었다. 그런데 다음날부터 북극에 뜬금없이 큰 눈이 내리기 시작했고 삼 일간 계속되었다. 연이은 폭설로 눈이 2m 이상 쌓이며 불기둥의 기세가 서서히 꺾이기 시작했다. 전 세계 언론에서는 이 사실을 연일 보도하며 사람들의 기대감이 높아졌다. 폭설이 끝나자 영하 50도의 혹한이 북극의 공기를 급속하게 냉각시켰다. 두껍게 쌓인 눈이 두꺼운 얼음덩어리로 변하며 불기둥이 하나둘씩 사라지기 시작했다. 열아홉 개였던 가스 불기둥이 북극에서 모두 사라졌다.

톰의 일행들은 실패로 끝난 줄 알았던 프로젝트의 결과가 좋게 나오자, 톰의 노력이 성공으로 이어졌다고 생각했다. 전 세계 언론에서는 대서특필하며 메시아 톰과 교황에게 공로를 돌렸다. 피렌체로 돌아온 교황은 기자회견을 열고 톰의 희생과 교황청의 노력으로 지구를 구했다고 세상에 천명했다. 기자회견장에 있던 마크는 찜찜한 기분으로 교황의 연설을 지켜봤다.

며칠 뒤 마크, 이사벨, 조나단은 톰과 함께 비밀리에 미국행 비행기에 올랐다. 그들은 유명해져서 최대한 위장을 하고 2인 1조로 조심스럽게 움직였다. 그들이 도착한 곳은 '볼텍스'로 유명한 '세도나'다.

요란한 웃음소리에 현실로 돌아온 마크는 조나단을 두고 집 안으로 들어갔다. 마크는 붉은 벽돌로 지은 단층집의 복도를 지나 뒷마당으로 나왔다. 마당에는 별 모양 장난감 안경을 낀 톰이 흙바닥에 앉아 작은 도마뱀을 들고 있다. 톰은 위장을 위해 갈색의 뽀글머리 가발을 썼다. 그의 주위로 붓과 물감 통, 그림이 그려진 조약돌이 널려져 있다. 이사벨은 질겁을 하며 연신 비명을 지르고 있다. 이사벨은 남자아이처럼 짧은 머리다.

"마크! 웃지만 말고 도마뱀 좀 어떻게 해줘!" 이사벨이 마크를 발견하고 소리쳤다.

"도마뱀은 해로운 동물이 아니니 너무 소란 떨지 마!" 마크는 미소를 지으며 이사벨을 놀렸다. 마크는 톰의 천진난만한 얼굴을 보며 애잔한 마음을 지울 수 없었다.

"마크! 톰을 찾아온 손님이 있는데?" 조나단은 어정쩡한 표정으로 말끝을 흐렸다.

"무조건 모른다고 해야지. 이렇게 들어오면 어떡해요."

"그런데 이상하게 거부하기 힘들었어."

"아! 삼촌은 정말 너무 순진하세요."

마크는 서둘러 조나단과 함께 집 복도를 지나 다시 가판대로 갔다. 가판대 앞에는 두꺼운 진회색 후드를 입은 거구의 사내가 우뚝 서 있다.

"어떻게 오셨다고요?" 마크는 상대의 외모를 살피며 물었다.

"톰 아니쉬크 씨를 찾아왔습니다." 사내의 목소리는 낮고 우렁차지만 거슬리지 않았다. 마크는 그에게서 묘한 카리스마를 느꼈다.

"그런 사람 없는데요!"

"지구의 신 '가이아'를 통해 톰의 소식을 들었습니다."

"가이아? 가이아를 만났습니까?" 마크는 '가이아'라는 말에 태도가 돌변했다.

"가이아에게 어떤 소식을 들었다는 겁니까?" 조나단이 대화에 끼어들었다.

"가이아는 톰이 북극의 불기둥을 없애려다가 시바에게 영적 능력과 모발을 잃었다고 들었습니다."

"그걸 아는 당신은 누구세요?" 마크가 그의 눈을 보며 물었다.

"저는 지하 세계 아틀란티스의 지도자 '아몬'입니다."

아몬의 얼굴은 한 번도 햇볕을 쬐지 않은 듯 창백하고 눈썹과 풍성한 수염은 황금색이다.

"지하 세계라고요?" 조나단이 호기심을 드러냈다.

"네, 모든 행성의 중심은 비어있습니다. 지구도 마찬가지죠."

"어떤 이유로 찾아오셨습니까?" 마크는 반신반의하며 대화를 이어갔다.

"좀 원시적인 방법이지만, 제가 톰을 정상으로 돌려놓을 수 있습니다."

"정말요?" 조나단의 목소리가 한껏 커졌다.

"톰의 지혜안을 물리적인 수술로 다시 열 수 있습니다."

"부작용은 없나요?" 마크가 되물었다.

"비교적 간단한 수술이라서 부작용은 거의 없습니다."

"당신이 정말 지하에서 왔고, 우리 편이라는 걸 어떻게 믿죠?" 마크의 질문에 아몬이 후드를 뒤로 젖히자, 그의 창백한 민머리가 드러났다. 조나단과 마크는 그의 반사광에 눈이 부셔 고개를 돌렸다.

"저도 지하 세계를 구하려다가 시바와의 내기에 져서 모발을 잃었소." 마크와 조나단은 아몬의 안구에 찬 습기와 분노로 씰룩거리는 입술을 보고 묘하게 설득됐다.

"우리가 귀한 손님을 너무 세워둔 것 같은데 일단 안으로 들어가시죠." 이번에도 조나단이 빠른 태세전환을 보이며 아몬을 환대했다. 그러자, 마크가 급하게 좌판을 정리하며 말했다. "그럴까요?"

잠시 후, 거실에 모여앉은 사람들은 아몬을 주목했다. 톰이 다가가 방긋 웃으며 한 손으로 아몬의 민머리를 만지고, 한 손으로는 자신의 민머리를 만졌다. 톰의 행동에 모두가 당혹해하는 가운데, 아몬은 마치 손자의 재롱을 보는 할아버지의 미소를 보였다.

"그날 톰에게 무슨 일이 있었는지 자세하게 들려주세요."

"그럼, 가이아에게 들은 대로 말씀드리겠습니다."

"인간의 모습으로 세상에 나타났던 '카알'은 3세계의 신 즉 '범천'이었습니다. 그는 지상 문명이 다른 별로 이동 가능한 수준이 되면 바로 멸망시킬 계획이었습니다. 하지만 메시아 톰이 나타나 방해를 시작하고, 그는 인간의 모습으로 내려와 그를 해치려 하였습니다. 죽을 고비를 넘긴 톰이 그의 비열한 수법을 눈치채고 은하 위원회에 고발했습니다. 그리고 판결이 나자 톰이 그의 직위 박탈을 직접 전하고 지옥으로 보냈습니다. 그러나 '범천'의 영향력은 여전히 남아있어서 지구가 불바다에 처할 위기에 놓여있었습니다."

"카알이 톰을 해치려던 이유가 있었군요." 마크가 복도에서 장난감을 가지고 노는 톰을 보며 한탄하듯 말했다.

"파괴의 신 시바가 담당자여서 지구가 불덩이로 끝날 위기였는데, 지구의 신 가이아가 톰과 만나는 자리를 만들었다고 합니다."

"가이아도 이 자연과 동물들을 살리고 싶었군요."

"그렇죠. 가이아의 주선으로 톰을 만난 시바는 내기형식으로 톰에게 기회를 주는데, 그게 백일동안 이었던 거죠. 그러나 지상 사람들은 황금 같은 그 기회를 놓쳐버렸죠."

"그런데 어떻게 북극의 불기둥이 사라진 거죠?"

"불기둥을 사라지게 한 대가로 톰의 많은 것을 뺏어간 거죠."

"뭐라고요?" 그 소식에 모두가 경악했다.

"그런데 굳이 톰을 어린이의 수준으로 퇴행시킨 이유가 뭡니까?"

"시바는 톰이 구하려 했던 지구인들이 정리되는 모습을 보면 고통스러워할까 봐 배려한 거랍니다."

"시바는 그런 배려는 하면서 남의 머리칼을 왜 가져갑니까?"

"승자의 전리품 같은 거죠."

"지하 세계에서 이곳으로 어떻게 오셨어요?" 이사벨이 재차 확인하듯이 물었다.

"이곳 벨락(종탑 바위)에 숨겨진 통로가 있어서 쉽게 올라올 수 있습니다." 아몬의 대답에 사람들은 톰이 이곳으로 데려다 달라고 한 진짜 이유를 새삼 깨달았다.

"지하 세계는 운송수단이 없습니까?" 마크가 물었다.

"지상 인들이 본 미확인 물체 중에 원반형 비행물체는 우리 지하 세계 것입니다."

"정말요?" 마크는 비행물체를 직접 보고 싶은 마음이 솟구쳤다.

"나중에 한 번 태워 드리죠." 아몬이 마크의 마음을 읽은 듯 웃으며 대답했다.

"지하 세계에 대해 말씀 좀 부탁해도 될까요?" 조나단이 학자적 호기심을 누르지 못하고 질문했다.

"우리는 지금의 지상보다 수백 년 앞선 과학 문명을 지니고 있었습니다. 하지만 오래전 대륙 간 전쟁으로 지상의 모든 것이 파괴되었습니다. 그때 살아남은 극소수의 사람이 지하 세계로 대피한 게 우리 문

명의 시작이었습니다.”

 “인구는 얼마나 됩니까?”

 “현재 95,435명입니다.”

 “그렇게 많이 살아요? 그럼 수명은 어떻게 됩니까?”

 “우리는 평균 오백 살 정도까지 삽니다.”

 “그럼 아몬님은 연세가?”

 “사백칠십입니다.”

 “오~ 정말요?”

 “지하라서 어두울 텐데 어둠은 어떻게 해결했습니까?”

 “우리는 태양과 닮은 인공태양을 만들었습니다.”

 “지하 인들은 무엇을 먹고 살아갑니까?”

 “우리가 직접 농사지은 곡물과 과일, 채소들이죠.”

 “그럼 지하인 모두 채식 인이란 말이에요?”

 “그렇습니다. 톰이 구한 인구 중에 우리도 포함되어 있습니다.”

 “들을수록 놀랍네요. 그럼 그곳에는 전쟁이나 분쟁이 없습니까?”

 “우린 이미 전쟁의 참혹한 결과를 알기에 대화와 노력으로 평화를 지키고 있습니다.”

 “듣기로는 천국과 다름없네요.”

 “수술은 위험하지 않나요?” 이사벨은 여전히 수술이 걱정스럽다.

 “저는 지도자이자 뛰어난 의사입니다. 매우 간단한 수술이니 걱정하지 마세요.”

 “톰이 이곳으로 데려다 달라고 한 건 수술을 받기 위함이 아닐까요” 조나단이 조심스럽게 톰의 심중을 추측했다.

제24화 선택

잠시 뒤, 모두가 침대에 잠들어 있는 톰을 내려다보고 있다.
"마취가 잘 되었으니 고통을 느끼지 못할 겁니다." 아몬은 안주머니
에서 작은 가방을 꺼내 톰의 머리맡에 놓았다. 그는 수술용 장갑을 끼
고 가방에서 연필 같은 나뭇가지, 고무망치, 작은 약통을 꺼냈다. 그리
고 약통을 열어 나뭇가지 끝에 녹색 연고를 바르고 톰의 이마 위로
가져갔다.

"잠깐만요! 설마 이마에 이 나뭇가지를 박으려고요?" 이사벨이 화들
짝 놀라며 가로막았다.

"그렇습니다만?" 아몬은 당연하다는 듯 무심하게 대답했다.

"아니! 간단한 수술이라더니 이건 뇌수술이잖아요!" 이사벨은 예민하
게 따졌다.

"맞잖습니까? 간단한 수술! 제3의 눈에 나무를 박아넣는 것!" 아몬
은 연고를 묻힌 나무 끝을 톰의 이마 중심에 고정했다. 이사벨은 한
손으로 입을 가리고, 조나단과 마크는 긴장한 채 상황을 지켜봤다. 아
몬이 고무망치로 힘껏 내려쳤다.

"빡!!!" 뼈가 부러지는 소리와 함께 나뭇가지가 톰의 이마 위에 똑바
로 섰다.

"이제 전두엽을 활성화하는 연고가 효과를 발휘하면 내일 아침에는
결과를 알 수 있습니다." 아몬이 뿌듯한 표정으로 돌아섰다. 옆에 있
던 이사벨의 표정이 점점 일그러졌다. 아몬이 돌아보니 톰이 마치 어
항에서 빠져나온 물고기처럼 펄떡거렸다.

"어? 어? 이럴 리가 없는데!" 아몬이 당황하자, 마크가 더 당황했다.

"이럴 때는 어떻게 해야 합니까?" 마크가 톰의 다리를 잡고 다급하
게 물었다.

"아무래도 실패한 것 같습니다." 아몬은 옆의 의자에 주저앉으며 탄
식처럼 말했다. 그때 이사벨은 의심이 분노로 바뀌었다. 그녀는 아몬

의 멱살을 쥐고 마구 흔들었다. "간단한 수술이라며! 실패할 리가 없다며!"

이사벨이 이성을 잃자, 조나단이 달려들어 말리려고 했다. 하지만 그녀가 힘껏 떠미는 바람에 그는 뒤로 벌러덩 넘어졌다. 마크는 톰의 다리를 놓고 조나단에게 다가가 넘어진 그를 일으켰다.

"아! 정말 시끄러워서 잠을 잘 수가 있나!" 톰이 별안간 벌떡 일어나 앉으며 소리쳤다. 침묵이 흐르는 가운데 모두가 정지된 자세로 톰을 쳐다봤다.

"어라? 내 이마에 왜 연필이 꽂혀있어?" 톰은 어리둥절 해하며 나뭇가지를 쑥 뽑았다. 나뭇가지가 뽑힌 자리에는 조그만 구멍이 나 있고, 그 안에 하얀 뇌가 꿈틀거렸다. 그걸 본 이사벨이 놀라서 주저앉았다.

"톰?!!!" 마크는 마치 유령을 본 듯 읊조리듯 말했다.

"톰! 괜찮아? 우리 알아보겠어? 내가 누구야?" 조나단이 속사포처럼 톰에게 질문했다.

"베드로, 아니 조나단." 톰의 대답에 조나단의 눈빛이 흐려지며 실망한 듯 말했다. "아직 정신이 온전치 않네."

"마크, 여기가 어디야? 머리는 왜 그 꼴이야? 이사벨은 왜 울고 있어?" 톰이 그들을 보며 말하자, 울고 있던 이사벨이 달려와 와락 안겼다.

"다행이야. 정말 다행이야." 톰은 이사벨의 포옹이 매우 어색한 가운데, 아몬과 눈이 마주쳤다. 톰은 그에게 가벼운 눈인사를 했고, 아몬은 구겨진 후드 깃을 펴며 고개를 끄덕였다.

잠시 뒤 이사벨은 몹시 민망해하며 아몬에게 여러 번 사과했다.

"내가 누구에게 멱살 잡히기는 처음이라 당황스럽지만, 목숨이 걸린 돌발상황에 가족이라면 충분히 이해합니다." 아몬은 큰 어른답게 이사벨을 용서했다.

"톰, 그런데 아몬님이 도와줄 것을 어떻게 알았어?" 마크가 궁금증을 참지 못하고 물었다.

"명상에 아주 깊이 들어가면 간혹 의식이 시공을 초월하는데, 그때 본 거 같아."

"혹시 영적 능력도 돌아왔어요?" 이사벨의 질문에 톰은 눈을 감고 손을 들어 올렸다. 그러자, 마당에 있던 조약돌 하나가 복도를 지나 그의 손으로 정확하게 날아들었다. 조약돌에는 부활을 상징하는 노란 수선화가 그려져 있다.

"보시다시피!" 톰은 흐뭇한 표정으로 부활을 알렸다.

"시바 신에게 영적인 능력을 모두 빼앗겼다고 들었는데 어떻게 그게 가능하지?" 조나단이 안경 콧대를 손가락으로 올리며 물었다.

"이 세상의 모든 열쇠는, 복사 가능합니다! 깨달음을 여는 열쇠도 예외는 아니죠. 아몬님이 저를 구해주셨으니 저도 도움을 드리고 싶습니다."

"나?" 톰의 말에 아몬은 손가락으로 자기를 가리켰다. 그러자, 톰이 고개를 끄덕이며 웃었고 그는 조심스럽게 원하는 걸 말했다.

"나의 탐스럽던 황금빛 머리칼?" 아몬의 요구에 톰은 살짝 당황하다가 진지한 얼굴로 그에게 다가섰다.

"한 번 해보겠습니다."

톰이 아몬의 머리 위에 두 손을 바짝 대고 눈을 감았다. 모두가 처음 보는 희귀한 장면을 구경하려고 모여 있다. 잠시 후 그의 반들거리던 두피 곳곳에서 작은 황금빛 머리털들이 모공을 뚫고 서서히 자라기 시작하더니 돌돌 말리기 시작했다.

톰이 감고 있던 눈을 떠 아몬의 머리를 확인하고 깜짝 놀랐다. 아몬의 머릿결은 황금빛이지만 너무 말려서 아프리카 스타일의 뽀글뽀글한 머리가 되어버렸다.

"이런! 너무 급하게 머리칼을 키우다 보니 심하게 말려버렸네." 톰이 자책하자, 아몬이 이사벨에게 거울을 가져다 달라고 부탁했다. 아몬은 묘한 표정으로 돌돌 말린 머리칼을 매만지다가 눈물을 주르륵 흘렸다.

"이제야 한이 풀리는구나."

"사백이십 년은 젊어 보여요." 이사벨이 대놓고 아첨하자, 남자들이 웃음을 터뜨렸다.

톰은 눈을 감고 자신의 머리에 손을 얹었다. 그러자, 두피에서 회색 머리칼이 슬금슬금 빠져나와 머리를 덮기 시작했다. 속도 조절을 해서 그런지 웨이브가 자연스러웠다.

그때 뒷마당에서 바람이 몰아치더니 '가이아'가 아마존 여전사의 복장으로 거실로 들어왔다.

"아몬, 톰은 좀 어때요?" 톰이 가이아에게 환하게 웃었다. "난 괜찮아요. 덕분에 이렇게 무사하잖아요."

"그런데, 나쁜 소식이 있어요." 가이아의 말에 모두가 긴장했다.

"카알이 석방되었답니다!!"

"그게 무슨 소리입니까?!!" 톰이 놀라서 버럭 소리 질렀다.

"이전의 공적을 인정받아 석방되었다고 합니다. 다행하게도 복직은 안 되었다고 합니다."

"그럼 어떻게 되는 건가요?" 이사벨이 다급하게 물었다.

"어떻게 되기는 어떻게 돼! 피의 복수가 시작되는 거지!!!" 더욱 인상이 험악해진 카알이 검붉은 코트에 유황 냄새를 풀풀 풍기며 걸어 들어왔다. 누구도 생각지 못한 등장에 모두가 깜짝 놀랐다.

"역시, 가이아를 미행한 보람이 있군. 톰! 날 보고 놀라는 걸 보니 의식을 되찾았군. 하지만 오히려 좋아!"

"이제 신도 아닌데 그만 자제하시죠!" 가이아가 그를 제지하려고 했다.

"아니지! 이젠 신이 아니고 마왕이니 더는 공정할 필요도, 자비로울 필요도 없지. 안 그래? 이제 아주 고통스럽게 네 주변 인물들부터 손봐주겠어. 인도양에 수장된 너의 부모와 재가 된 조부모처럼 말이야!" 카알이 한명 한명씩 노려보며 말하다가 톰을 보고 사악하게 웃었다.

톰은 가족 얘기가 나오자 화를 참지 못하고, 카알에게 주먹을 날렸다. 그러나 카알은 이미 예상한 듯 쉽게 주먹을 피했다.

"어허! 이렇게 흥분하는 걸 보니 아직 수행이 덜 됐군. 앞으로 나와 인류를 두고 아주 기나긴 전쟁을 할 텐데 이렇게 서두르면 되겠나? 일단 나는 지옥 불의 유황 냄새 좀 빼고 와야겠어! 그때까지 작전 많이 세워놓으라고!" 카알은 지옥을 벗어난 게 매우 기쁜 듯 가벼운 걸음으로 집 밖으로 사라졌다.

"톰 이제 어떡하지?" 마크가 심각한 표정으로 물었다.

"어떡하기는 환풍부터 해야지! 어휴~ 유황 냄새! 카알이 지옥 불에 제대로 그을렸나 봐!" 톰이 모든 창문과 문을 열어젖혔다. 그들은 둥근 탁자 앞에 다시 모여앉았다. 톰은 제자들을 둘러보며 말했다.

"몇 달 전 처음 시작할 때는 나 혼자였어! 지금은, 여기 지구의 신 가이아 님도 있고, 지하 세계 지도자 아몬 님도 동참했는데, 무엇이 두렵겠어? 안 그래? 우리는 우리가 할 수 있는 만큼 하는 거야! 그 나머지는 인류의 몫이지. 현명한 선택을 할 인류의 몫!" 톰의 말에 모두가 고개를 끄덕였다.

(끝)